MAIS QUE LIT STEPHEN HARPER?

Du même auteur

The Facts behind the Helsinki Roccamatios, Knopf Canada, 1993. Traduction française : *Paul en Finlande*, Boréal, 1994.

Self, Knopf Canada, 1994. Traduction française : *Self*, XYZ éditeur, 1998.

Life of Pi, Knopf Canada, 2001. Traduction française : *L'histoire de Pi*, XYZ éditeur, 2003 ; version poche : XYZ éditeur, 2005.

YANN MARTEL

AUTEUR DU BEST-SELLER **L'HISTOIRE DE PI**

MAIS QUE LIT
STEPHEN HARPER ?

TRADUIT DE L'ANGLAIS PAR ÉMILE ET NICOLE MARTEL

SUGGESTIONS DE LECTURES
À UN PREMIER MINISTRE
ET AUX LECTEURS DE TOUTES ESPÈCES

XYZ
éditeur

Catalogage avant publication de Bibliothèque et Archives nationales du Québec et Bibliothèque et Archives Canada

Martel, Yann

    Mais que lit Stephen Harper? : suggestions de lectures à un premier ministre et aux lecteurs de toutes espèces

    Traduction de : What is Stephen Harper reading?

    ISBN 978-2-89261-569-2

    1. Meilleurs ouvrages. 2. Martel, Yann – Livres et lecture. 3. Martel, Yann – Correspondance. 4. Harper, Stephen, 1959- . I. Titre.

Z1035.9.M3714 2009   011 .73   C2009-941845-2

La publication de cet ouvrage a été rendue possible grâce à l'aide financière du ministère du Patrimoine canadien par l'entremise du Programme d'aide au développement de l'industrie de l'édition (PADIÉ), du Conseil des Arts du Canada (CAC) et du ministère de la Culture et des Communications du Québec (MCCQ) par l'entremise de la Société de développement des entreprises culturelles (SODEC).

La traduction de cet ouvrage a été rendue possible grâce à une aide financière du Conseil des Arts du Canada et du ministère du Patrimoine canadien par l'entremise du Programme d'aide au développement de l'industrie de l'édition.

Dépôt légal : 3ᵉ trimestre 2009
Bibliothèque et Archives Canada
Bibliothèque et Archives nationales du Québec
ISBN 978-2-89261-569-2

Traduction de l'anglais : Nicole et Émile Martel
Conception typographique et montage : Édiscript enr.
Adaptation de la maquette de couverture : Zirval Design
Illustration de la couverture : © iStockphoto, Photon Stock, Aj

Diffusion-distribution au Canada :
Distribution HMH
1815, avenue De Lorimier
Montréal (Québec) H2K 3W6
Téléphone : 514.523.15.23
Télécopieur : 514.523.99.69
www.distributionhmh.com

Imprimé au Canada
www.editionsxyz.com

À Alice, ma lectrice préférée

Nous connaîtrions-nous seulement un peu nous-mêmes, sans les arts?

GABRIELLE ROY

Table

INTRODUCTION

Voici un livre qui parle de livres. C'est une suite épistolaire. Les lettres qui la composent viennent d'un écrivain canadien – moi – et leur destinataire est un politicien canadien, le premier ministre Stephen Harper. Dans chacune, je commente une œuvre littéraire, qu'il s'agisse d'un roman, d'une pièce de théâtre, d'un recueil de poèmes, d'un texte religieux, d'une bande dessinée, d'un livre pour enfant, et ainsi de suite – le choix est vaste. J'ai posté un exemplaire de chaque ouvrage, daté, numéroté et dédicacé, accompagné d'une lettre soigneusement pliée au début du volume, au Bureau du premier ministre à Ottawa. Avec respect et constance, j'ai posé ce geste à toutes les deux semaines depuis le 16 avril 2007, et le projet se poursuit. Le but était, et continue d'être, de rappeler à Stephen Harper que les livres permettent merveilleusement de modeler notre existence.

À ce jour, j'ai reçu cinq réponses du premier ministre, ou plutôt, de son bureau.

La première est arrivée promptement :

Le 8 mai 2007

Monsieur Martel,

Au nom du premier ministre, je tiens à vous remercier de votre lettre récente et de l'exemplaire de *La mort d'Ivan Ilitch*, de Tolstoï. Nous avons apprécié la lecture de vos commentaires et de vos suggestions inspirées de ce roman.

Une fois de plus, veuillez accepter nos remerciements pour avoir pris le temps de nous écrire.

Cordialement,
Susan I. Ross
Adjointe du premier ministre

Un long silence officiel de près de deux ans a suivi. Et puis, inopinément, j'ai commencé à recevoir d'autres réponses, quatre jusqu'ici. Elles étaient toutes du même type, courtes et courtoises, des accusés de réception plutôt que de véritables lettres. Je les ai reçues dans l'ordre suivant :
Pour le cinquante-troisième et le cinquante-quatrième livres que j'avais envoyés :

Le 29 avril 2009

Monsieur Martel,
    Au nom du Très Honorable Stephen Harper, j'ai le plaisir d'accuser réception de votre courrier auquel vous aviez joint un exemplaire de deux œuvres, l'une, *Le marin rejeté par la mer*, de Yukio Mishima, et l'autre, *Louis Riel, une biographie en bandes dessinées*, de Chester Brown.
    Le premier ministre m'a demandé de vous transmettre ses remerciements pour l'envoi de ces livres. Soyez assuré que votre geste délicat a été fort apprécié.

Sincèrement vôtre,
S. Russell
Agent principal à la correspondance

Pour le cinquante et unième livre :

Le 1er mai 2009

Monsieur Martel,
    Au nom du Très Honorable Stephen Harper, j'ai le plaisir d'accuser réception de votre courrier au sujet du Conseil de Recherches en sciences humaines et du Fonds du Canada pour les périodiques. Je veux aussi vous remercier d'avoir joint à votre envoi *Jules César* de William Shakespeare.
    Soyez assuré que vos commentaires recevront la considération appropriée. J'ai pris la liberté d'acheminer copie de votre

correspondance à l'Honorable Tony Clement, ministre de l'Industrie, et à l'Honorable James Moore, ministre du Patrimoine canadien et des Langues officielles, pour les mettre au courant de vos préoccupations.

Je vous remercie à nouveau d'avoir écrit au premier ministre.

Sincèrement vôtre,
S. Russell
Agent principal à la correspondance

Pour le cinquante-cinquième livre (*The Gift*, de Lewis Hyde) :

Le 22 mai 2009

Monsieur Martel,

Au nom du Très Honorable Stephen Harper, j'ai le plaisir d'accuser réception de votre récent courrier.

Je vous remercie de partager vos opinions par écrit avec le premier ministre. Je puis vous assurer que vos commentaires ont été soigneusement notés. Pour obtenir davantage d'information sur les initiatives du gouvernement, vous voudrez consulter le site Web du premier ministre, www.pm.gc.ca.

Sincèrement vôtre,
L.A. Lavell
Agent principal à la correspondance

Pour le cinquante-deuxième livre :

Le 24 juin 2009

Cher Monsieur Martel,

Au nom du Très Honorable Stephen Harper, je tiens à accuser réception de votre correspondance du 30 mars, par laquelle vous lui faisiez parvenir un exemplaire du livre *Burning Ice : Art & Climate Change*.

Je vous remercie d'offrir ce matériel au premier ministre. Votre courtoisie en portant cette information à son attention est grandement appréciée.

Sincèrement vôtre,
P. Monteith
Agent responsable de la correspondance.

Ça s'est révélé un club du livre solitaire. Je l'ai créé dans un moment de frustration. Fin mars 2007, j'ai été invité à Ottawa pour contribuer à marquer le cinquantième anniversaire du Conseil des Arts du Canada, cette formidable institution qui a tant fait pour développer l'identité culturelle des Canadiens et Canadiennes. Les célébrations ont été fort agréables, surtout à cause de la présence en un même lieu de cinquante artistes différents, de chaque discipline et chaque tendance, un arc-en-ciel d'écrivains, de peintres, de compositeurs, de musiciens, de chorégraphes et d'autres, chacun en représentation de l'une des cinquante années du Conseil. J'étais le représentant de 1991, l'année où j'ai reçu une bourse du Conseil des Arts qui m'a permis d'écrire mon premier roman, *Self*. J'avais 27 ans à l'époque et cet argent a été une manne tombée du ciel. J'ai fait durer ces dix-huit mille dollars pendant un an et demi (et si on tient compte de l'impôt sur le revenu que j'ai payé à la suite du succès de mon second roman, *L'histoire de Pi*, ce premier investissement des payeurs de taxe canadiens a bien rapporté, je puis vous en assurer). Le plus âgé des artistes, représentant 1957, était Jean-Louis Roux, un grand homme de théâtre ; la plus jeune était Tracee Smith, une jeune danseuse et chorégraphe hip-hop autochtone qui venait tout juste de recevoir sa première bourse. C'était pour moi toute une émotion de me trouver dans une telle macédoine de créateurs.

Le moment clé des célébrations est venu à 15 heures, le 28 mars. Nous étions tous assis dans la Galerie des visiteurs de la Chambre des communes, à attendre. Pour les Canadiens et Canadiennes qui n'y sont jamais allés, je dois souligner que la Chambre des communes et, en fait, la Colline parlementaire dans son entier, sont des endroits à la puissance impressionnante. Ce n'est pas seulement la grandeur de la Chambre ou ses décors raffinés et élaborés. C'est le symbolisme même du lieu. Une grande partie de l'histoire de notre pays s'est jouée entre ses quatre murs. Tout en étant un lieu utilitaire, avec ses pupitres, ses puissants microphones dirigeables et ses discrètes caméras de télévision, c'est aussi un endroit de rêves et de visions où nous, les Canadiens et Canadiennes, avons façonné qui et ce que nous voulons devenir.

J'étais donc là, dans la Chambre des communes, séduit par le lieu, et je me suis mis à penser à la tranquillité. Je suppose que le mot m'est venu à l'esprit parce que la bagarre propre à la Période des questions était juste en train de se terminer. Pour lire un livre, il faut être tranquille. Pour assister à un concert, une pièce, un film, pour observer un tableau, il faut aussi être tranquille. La religion fait également bon usage de la tranquillité, entre autres pour la prière et pour la méditation. Porter son regard sur un lac à l'automne ou sur une silencieuse scène d'hiver – cela aussi nous mène vers une quiétude contemplative. On dirait que la vie privilégie les moments de tranquillité pour nous murmurer : « Me voici, qu'est-ce que tu en penses ? » Puis nous redevenons actifs et la quiétude s'envole, mais c'est tout juste si nous nous en rendons compte tant nous nous laissons facilement happer par l'agitation, selon laquelle ce qui nous tient occupés est forcément important, et plus nous sommes occupés, plus ça doit être important. Alors nous travaillons, travaillons, travaillons et nous courons, courons, courons. Il nous arrive de nous dire, essoufflés : « Dieu que la vie passe vite. » Mais ce n'est pas du tout ça : la vie est immobile, c'est nous qui sommes à la course.

Le moment était maintenant venu. La ministre du Patrimoine canadien, Mme Bev Oda, à l'époque, se leva, salua notre présence et prit la parole. Nous, les artistes, nous sommes également levés, non à titre personnel mais au nom du Conseil des Arts du Canada et de ce qu'il représente. L'allocution de la ministre fut brève. En fait, elle venait tout juste de commencer, pensions-nous, qu'elle s'est tue et s'est assise. Suivirent de faibles applaudissements. Les députés passèrent immédiatement à autre chose. Nous étions là, encore debout, incrédules. C'en était fait. Cinquante années, passées à construire l'étincelante et multiforme culture canadienne, évacuées en moins de cinq minutes. Je me souviens que la poète Nicole Brossard a ri et secoué la tête en s'asseyant. Je n'arrivais pas à rire.

En comparaison, quelle aurait été la célébration équivalente d'une institution culturelle majeure, en France disons ? Elle aurait fait l'objet de démonstrations éclatantes et brillantes durant toute l'année, faites avec classe et tout plein d'expositions. Le président de la France aurait tenté d'attirer vers lui le plus d'attention possible, c'est ça qui se serait passé. Nul besoin d'en dire davantage. Nous savons tous comment les Européens traitent la culture. À leurs yeux, elle est séduisante et importante. Si le monde entier visite l'Europe, c'est parce que la culture y est resplendissante. Au lieu de tout ça, nous sommes restés plantés là dans la galerie publique de la Chambre des communes, comme des balourds faisant obstacle à des affaires plus importantes. Et puis nous n'avions pas demandé à être là. Nous avions été invités.

Depuis les oubliettes où on nous avait relégués, j'ai concentré mon attention sur un seul homme. Le premier ministre n'a pas dit un mot au cours de notre bref hommage. Il n'a même pas levé les yeux vers nous. En autant qu'on pouvait voir, il n'était même pas au courant que nous étions là. Qui est cet homme ? Qu'est-ce qui le mobilise, me suis-je demandé. Il ne fait aucun doute qu'il est occupé. Aucun doute que d'être premier ministre accapare toute son attention consciente. Mais Stephen Harper doit bien avoir des îlots de solitude et de repos à partir desquels il contemple la vie. Il doit bien y avoir des moments où sa pensée passe de l'application – comment je vais faire ceci, comment j'obtiens cela – au fondamental – pourquoi ceci, pourquoi cela ? En d'autres mots, il doit avoir des moments de quiétude. Et comme mon affaire, ce sont les livres, les lire et les écrire, et comme les livres et la tranquillité vont bien ensemble, j'ai décidé que, par la grâce de bons livres, je ferais des suggestions qui amèneraient la quiétude chez Stephen Harper.

De là ces mois et ces années de lecture, de réflexion, d'écriture et de mise à la poste. Les livres, je suppose, sont sur une tablette dans un bureau, quelque part à Ottawa. Les lettres sont entre vos mains.

***

À quoi est-ce que je m'attendais en retour? Que le premier ministre lirait et répondrait aussi vite que je lisais et lui écrivais? Non, je ne m'attendais pas à cela. Il y aura toujours plus de livres qu'on aimerait lire que de livres qu'on aura lus. Et Dieu merci. Ce sera un triste jour, le signe d'un univers rétréci, celui où quelqu'un pourra affirmer avoir lu tous les livres publiés. Mais je m'attends éventuellement à une réponse plus substantielle que les réactions machinales reçues jusqu'ici. N'est-ce pas là la démocratie, le fait que les leaders rendent des comptes? En tant que citoyen des arts, j'ai le droit de savoir ce que mes leaders élus pensent de la lecture.

Voici par exemple quelques réponses imaginées qui auraient traité de l'essentiel de mon propos:

Réponse hautaine:

Cher Monsieur Martel,
Napoléon n'est pas parti au combat un livre à la main, La politique est action. Je porterai peut-être attention à vos livres éventuellement, quand j'aurai gagné toutes mes batailles politiques.
Cordialement vôtre,
Stephen Harper

Réponse de principe:

Cher Monsieur Martel,
Ce que je fais de mes moments de loisir ne vous concerne en rien. De plus, je ne peux accepter vos présents puisqu'ils pourraient me placer en conflit d'intérêt par rapport aux auteurs canadiens. J'ai donc donné à mon personnel l'ordre de faire suivre les livres que vous m'envoyez à l'organisme World Literacy of Canada.
Cordialement vôtre,
Stephen Harper

Réponse narquoise:

Cher Monsieur Martel,

Je ne vous remercierai jamais assez des beaux livres que vous me faites parvenir. Tant d'heures plaisantes à lire. Je ne m'en lasse jamais. En terminant Tolstoï, j'ai été profondément touché par la fragilité de notre contrôle sur la vie. Le livre d'Orwell m'a fait trembler face à la méchanceté des corrompus, le suspense d'Agatha Christie m'a tenu en haleine, et j'ai pleuré, le cœur brisé, avec Elizabeth Smart, et ainsi de suite avec chacun des livres, une véritable montagne russe de folles émotions. Envoyez-en d'autres, envoyez-en plus, je vous en prie. J'en suis arrivé à lire un livre tous les trois jours.

Vos lettres sont aussi pour moi une source de grand plaisir – mais elles sont tellement courtes ! Si elles étaient plus longues, entraient dans plus de détails, vous auriez en moi un véritable lecteur canadien heureux.

Cordialement vôtre,
Stephen Harper
P.-S. J'ai adoré L'histoire de Pi. *Mais cette île étrange, c'était quoi ? Et à quoi travaillez-vous maintenant ?*

Réponse pratiquement honnête :

Cher Monsieur Martel,

Je n'ai pas le temps de lire des livres. J'obtiens tout ce dont j'ai besoin grâce à des documents de breffage et à des résumés sommaires préparés par mon personnel. Mais une fois que j'aurai quitté le pouvoir, dans de nombreuses années, j'espère, alors je lirai les livres de mon choix.

Cordialement vôtre,
Stephen Harper

Réponse honnête et brutale :

Cher Monsieur Martel,

Je n'aime pas lire. Cela m'ennuie. Si cela vous dérange, je m'en fiche.
Cordialement vôtre,
Stephen Harper

Réponse ouvertement honnête :

Cher Monsieur Martel,
Je n'ai jamais été un grand lecteur, et je ne m'en suis pas si mal tiré
pour autant. Mais la semaine dernière, je me suis trouvé devant la
boîte où on empile vos livres et j'avais un moment de libre. Je les ai
regardés. Quelle variété. Il m'est venu à l'esprit que les livres étaient
comme des outils. Il y en a qui sont des charrues, d'autres des truelles,
quelques-uns sont des marteaux, d'autres sont des niveaux. Je me
suis dit : peut-être que je devrais m'y mettre. J'en ai choisi deux, le
Bhagavad-Gita *et Maus, que je vais tenter de lire dans mes temps*
libres. Ce sera assez pour le moment.
Cordialement vôtre,
Stephen Harper

N'importe laquelle de ces lettres m'aurait saisi sur-le-champ.
Chacune d'entre elles aurait répondu à ma question fondamentale
au sujet des habitudes de lecture du premier ministre.

$$***$$

Qu'est-ce qui me fait croire que Stephen Harper n'aime pas la lecture ? Est-ce que ce n'est que présomptueuse effronterie de ma part ?
M'a-t-il jamais dit, à moi personnellement, qu'il n'avait pas lu un
seul roman depuis sa sortie de l'école secondaire ? Non, il ne me l'a
pas dit. Stephen Harper n'a soufflé mot à personne de ses habitudes
de lecture, ni à moi ni à un journaliste qui le lui aurait demandé
(sauf pour dire, pendant la campagne électorale de 2004, que son
livre préféré était *Le livre Guinness des records*). Ce qu'il lit maintenant, ou bien s'il lit quoi que ce soit, ou ce qu'il a lu dans le passé,
tout cela demeure un mystère. Mais si je vois un homme qui bat
rageusement un cheval, j'en conclus avec une conviction à peu près
totale qu'il n'a pas lu *Black Beauty*. Si Stephen Harper avait été
formé et était resté informé en culture littéraire, s'il avait lu des
romans, des nouvelles, des pièces de théâtre et de la poésie, il aimerait ces œuvres, il les défendrait, il les célébrerait. Il ne chercherait

pas à saborder les ressources publiques qui servent à soutenir la culture artistique de notre nation, ne retenant son geste que lorsque c'est politiquement opportun. Si Stephen Harper est au courant de la culture littéraire ou, en fait, de la culture en général, cela ne se manifeste pas dans ce qu'il dit ou dans ce qu'il fait. L'élimination du budget des Affaires étrangères pour la promotion des arts à l'étranger, l'élimination de l'orchestre de la radio de la CBC, la réduction drastique à la CBC et à Radio-Canada en général, la proposition d'exclure le financement des petites publications littéraires et artistiques du Canada ; et la liste, malheureusement, est encore plus longue.

Peut-être que l'homme qui bat le cheval a lu *Black Beauty*, mais qu'il veut quand même battre le cheval. Peut-être que le cheval va bien s'en tirer même s'il a été battu. Il pense peut-être que c'est pour son bien qu'il doit être battu. Autant de bonnes raisons de lui envoyer de bons livres, alors, avec l'espoir de le faire changer d'idée.

Mais la question reste, et elle mérite une réponse : est-ce que c'est l'affaire de quiconque, ce que Stephen Harper lit, a lu et s'il lit ou non ? Est-ce que ce n'est pas comme collectionner des timbres ou regarder le hockey, une activité qui relève entièrement de sa vie privée ? Peu après le début de ma campagne, c'est exactement ce que quelqu'un m'a donné à entendre. En fait, il me l'a lancé au visage. Il était furieux. C'est un monsieur que je connais à Saskatoon, là où je vis. Il répétait encore et encore que ce que je faisais était répréhensible puisque c'était une attaque *ad hominem*. Et puis ce n'était pas un conservateur qui m'apostrophait, pas du tout. Il se trouve que c'est aussi un fervent lecteur. Un allié, j'aurais cru. À la maison, ébranlé, j'ai cherché dans le dictionnaire pour voir ce que *ad hominem* voulait dire : « Expression latine décrivant une attaque au caractère de quelqu'un plutôt qu'à une opinion ou une croyance que cette personne pourrait avoir. » Est-ce que demander à Stephen Harper de rendre compte de ses habitudes de lecture est hors de propos ? Pire encore : est-ce que c'est une attaque déplacée et déshonorante contre le caractère de l'homme plutôt que contre ses politiques publiques ?

La réponse est simple. En autant qu'une personne n'a aucune autorité sur moi, je ne me soucie pas de ce qu'elle lit, ni même de savoir si elle lit. Ce n'est pas à moi de juger les choix de vie des gens. Mais une fois que quelqu'un a autorité sur moi, alors oui, ses lectures m'importent, car dans ses choix de lecture on trouvera ce qu'il ou elle pense, et ce qu'il ou elle va faire. Si, comme je l'ai écrit dans une des lettres que je lui ai fait parvenir, Stephen Harper n'a pas lu *La mort d'Ivan Ilitch* ou n'importe quel autre roman russe, s'il n'a pas lu *Mademoiselle Julie* ou n'importe quelle autre pièce scandinave, s'il n'a pas lu *La métamorphose* ou n'importe quel autre roman de langue allemande, s'il n'a pas lu *En attendant Godot* ou *La promenade au phare* ou n'importe quel autre pièce ou roman expérimental, s'il n'a pas lu les *Pensées* de Marc Aurèle ou *Pouvoirs de l'imagination* ou n'importe quelle autre étude philosophique, s'il n'a pas lu *Under Milk Wood* ou n'importe quel autre ouvrage de prose poétique, s'il n'a pas lu *Leurs yeux observaient Dieu* ou bien *Los Boys* ou bien n'importe quel autre roman américain, s'il n'a pas lu *Le violoncelliste de Sarajevo* ou *The Island Means Minago* ou *The Dragonfly of Chicoutimi* ou n'importe quel autre roman, poème ou pièce canadien – si Stephen Harper n'en a lu aucun, alors de quoi est composé son esprit? Comment a-t-il développé ses perceptions de la condition humaine? Quels sont les matériaux qui ont servi à construire sa sensibilité? Quelle est la couleur, quel est le modèle, quelle est la rime et quelle est la raison de son imagination? Ce ne sont pas là des questions qu'on est habituellement autorisé à poser. Le monde imaginaire de nos concitoyens, tout comme leur fortune financière, en général, ça ne nous regarde pas. Mais une fois qu'un citoyen a été élu à une fonction publique, alors ses finances deviennent mes affaires, et c'est devenu une routine obligatoire pour les politiciens de rendre compte de leurs affaires financières. C'est la même chose pour leurs affaires touchant l'imagination. Une fois que quelqu'un a autorité sur moi, j'ai le droit d'explorer la nature et la qualité de son imagination, car ses rêves peuvent devenir mes cauchemars.

Aux citoyens qui aspirent à devenir des leaders accomplis, voici la manière la plus simple de le dire: si vous voulez être un leader, il faut être un lecteur.

***

Je n'ai pas été complètement seul dans ma guérilla livresque. On peut la retracer grâce à un document public toujours tenu à jour en consultant Internet en anglais www.whatisstephenharperreading.ca et en français www.quelitstephenharper.ca. Steve Zdunich a monté et maintenu ces deux sites à ma place bien plus longtemps qu'il n'aurait dû. Puis Dennis Duro m'a montré comment le faire par moi-même. Je les remercie tous les deux pour leur généreuse assistance. Je dois aussi remercier mes parents, Émile et Nicole, qui se sont offerts pour traduire chacune de mes lettres en français, parfois avec des échéances extrêmement serrées. Ce sont de véritables citoyens des arts, et je leur dois non seulement de l'amour, mais de la gratitude. Si j'aime lire et écrire, c'est parce qu'ils m'en ont donné l'exemple. Je suis aussi reconnaissant au Département d'anglais de l'Université de la Saskatchewan de m'avoir fourni le bureau parfait où travailler.

***

Dans les lettres qui suivent, ce sont les goûts, les choix et les limites d'un lecteur qui sont reproduits. Il y a quelques livres que j'avais à l'esprit longtemps avant de les envoyer. Il y en a d'autres qui m'ont été suggérés par des lecteurs de partout au Canada et même de l'étranger. Il y a des livres que j'avais lus, d'autres qui ont été des découvertes. Je ne prétends pas du tout être un juge sage ou perspicace. J'avais et je continue d'avoir l'espoir de montrer à mon colecteur, le premier ministre, la variété de la parole écrite. Par mes choix, j'ai franchi les barrières géographiques et linguistiques. Jusqu'ici j'ai tenté d'établir un fonds pour notre bibliothèque et je me suis plutôt tenu à distance du canadien et du contemporain, de façon qu'on ne puisse m'accuser d'imposer mes amis à l'autre membre de mon club. Ces lettres ne sont qu'une preuve de mon engagement personnel et libre en faveur de la parole écrite.

S'il y a des lecteurs qui ont envie de se joindre à l'effort, je les y encourage. Les livres, tout comme les poissons, aiment bouger. Des communautés se forment en partageant des livres, et elles y gagnent. Tous les membres d'un club du livre confirmeront le plaisir substantiel qu'il y a à discuter d'un livre qu'on a lu avec d'autres. Alors s'il y a un livre que vous pensez que Stephen Harper devrait lire, n'hésitez surtout pas et postez-le lui. Son adresse est :

Le Très Honorable Stephen Harper
Premier ministre du Canada
80, rue Wellington
Ottawa, ON K1A 0A2

***

Les livres nous font monter plus haut, et j'ai toujours la main sur un livre, comme si c'était une rampe. Mais contrairement à certains lecteurs que je connais qui grimpent les marches sans effort, quatre à quatre, étage après étage, ne reprenant jamais leur souffle, je monte lentement. S'il y a un personnage autobiographique dans *L'histoire de Pi*, ce n'est pas Pi, c'est le paresseux. Pour moi, un bon livre, c'est une copieuse brassée de feuilles, et je ne peux pas lire plus qu'un certain nombre de pages avant d'être rassasié et de commencer à somnoler. Ma rampe, c'est plutôt une branche et j'y suis suspendu, la tête en bas, à me nourrir du livre qui alimente mes rêves. Je lis lentement mais continuellement. Sinon, je mourrais de faim.

L'art est de l'eau, et tout comme les humains sont toujours proches de l'eau, pour des raisons de nécessité (boire et se laver et nettoyer et arroser) autant que pour des raisons de plaisir (y jouer, y nager, se reposer sur la rive, y naviguer, y goûter quand elle est gelée, colorée et sucrée), les humains doivent toujours être proches de l'art sous toutes ses formes, du frivole à l'essentiel. Sinon, ils se dessèchent.

Voici donc l'image avec laquelle je voudrais conclure, la quintessence de la quiétude et une péroraison visuelle de ce que j'ai essayé de communiquer au premier ministre Stephen Harper grâce à des douzaines de lettres courtoises et de bons livres : l'image d'un paresseux suspendu à une branche dans une jungle verte pendant un orage tropical. La pluie est vraiment assourdissante, mais le paresseux ne s'en préoccupe pas ; cette cascade d'eau est vivifiante, et les autres plantes et animaux vont l'apprécier. Pendant ce temps, le paresseux a un livre sur la poitrine, bien à l'abri de la pluie. Il vient juste de lire un paragraphe. C'est un bon paragraphe, alors il le lit à nouveau. Les mots ont tracé une image dans son esprit. Le paresseux examine l'image. C'est une belle image. Le paresseux regarde autour de lui. Sa branche est très haut dans l'arbre. Il a une si jolie vue de la jungle. À travers la pluie, il peut voir des taches de couleur vive sur les autres branches : des oiseaux. Tout en bas, un jaguar en colère court sur la piste, ne remarquant rien. Le paresseux revient à son livre. Il exhale un soupir de satisfaction, il a le sentiment que la jungle entière a respiré avec lui. La pluie continue de tomber. Le paresseux s'endort.

La mort d'Ivan Ilitch
de Léon Tolstoï

À Stephen Harper,
premier ministre du Canada,
d'un écrivain canadien,
avec ses meilleurs vœux,
Yann Martel

Le 16 avril 2007

Cher Monsieur Harper,

La mort d'Ivan Ilitch, de Léon Tolstoï, est le premier livre que je vous fais parvenir. Il m'est d'abord venu à l'esprit que je devrais vous envoyer une œuvre canadienne – un symbole tout à fait approprié puisque nous sommes canadiens tous les deux – mais je ne veux d'aucune manière que ce soient des considérations politiques qui m'animent et, plus important encore, je ne peux penser à une œuvre aussi brève, à peine soixante pages, qui démontre de façon aussi convaincante la puissance et la profondeur de la grande littérature. Sans l'ombre d'un doute, *Ivan Ilitch* est un chef-d'œuvre. Il n'y a rien là de tape-à-l'œil, aucune vulgarité, aucun faux-semblant, aucune fausseté, pas un moment d'ennui, et il ne s'agit pas d'une intrigue précipitée non plus. C'est l'histoire simple et absolument fascinante d'un homme et de sa fin ordinaire.

L'œil de Tolstoï pour le détail, qu'il soit physique ou psychologique, est sans faille. Prenez Schwartz. Il se trouve dans la maison même d'Ivan Ilitch, qui est mort ; il a parlé avec sa veuve, mais il est surtout préoccupé par la partie de cartes qu'il va jouer ce soir-là. Ou bien prenez Peter Ivanovitch aux prises avec le pouf bas, aux mauvais ressorts, tandis qu'il tente de mener tant bien que mal une conversation avec la veuve d'Ivan Ilitch. Ou même la veuve elle-même, Praskovya Federovna, qui pleure et se lamente sous nos yeux, sans jamais pour autant oublier ses propres intérêts, les détails de la pension de magistrat de son mari et l'espoir de tirer plus d'argent de la part du gouvernement. Ou bien jetez un coup d'œil sur le contact d'Ivan Ilitch avec son premier médecin qui, remarque Ivan Ilitch, l'examine avec le même air arrogant doublé d'indifférence intérieure qu'Ivan Ilitch affichait face à un accusé dans la cour qu'il présidait. Ou bien encore observez la fine ligne tracée dans les relations entre Ivan Ilitch et sa femme – un véritable enfer conjugal – ou avec ses amis et collègues qui le traitaient tous comme s'ils étaient, eux, solidement installés sur un roc, alors qu'il aurait stupidement choisi, lui, de se laisser emporter par les flots d'un fleuve. Ou finalement encore, voyez Ivan Ilitch lui-même, et sa lutte triste et solitaire.

Comme elles sont décrites avec clarté et précision, nos petites vanités, nos insensibles mesquineries. Sans effort visible, Tolstoï observe les minces apparences de la vie autant que ses rouages intérieurs. Et pourtant, ce foisonnement de folie et de sagesse tardive nous apparaît non comme une grise leçon de morale, mais avec la lourdeur propre à un orage, avec tout le poids, l'éclat et la fraîcheur de la vraie vie. Nous observons sur le vif les aberrations d'Ivan Ilitch – oh, elles sont si évidentes à nos yeux, c'est bien évident que nous ne les commettons pas, nous – jusqu'au moment où un jour nous constatons que quelqu'un nous observe exactement comme si nous étions un personnage de *La mort d'Ivan Ilitch*.

C'est bien là la grandeur de la littérature, et son paradoxe : le fait qu'en lisant des histoires sur des personnages fictifs on se trouve à lire sur soi-même. Il arrive que cet involontaire examen de conscience nous pousse à sourire de manière complice, alors qu'à d'autres moments, comme dans ce livre, cela provoque en nous des réflexes d'inquiétude et de dénégation. Quoi qu'il en soit, nous en sortons plus sages, notre existence y a gagné de la substance.

L'une des qualités que vous allez sûrement observer, c'est que malgré le temps écoulé depuis le moment où se situe ce récit – 1882 – et aujourd'hui, malgré les énormes écarts culturels entre la Russie tsariste et provinciale et le Canada moderne, l'histoire nous touche sans aucune entrave. En fait, je ne peux penser à une œuvre qui, aussi campée dans son époque et tellement, tellement russe, bondisse aussi facilement de son cadre local pour atteindre un écho universel. Un paysan en Chine, un travailleur immigré au Koweit, un berger en Afrique, un ingénieur en Floride, un premier ministre à Ottawa – je les vois tous en train de lire *La mort d'Ivan Ilitch* en acquiesçant de la tête.

Plus que tout autre, je vous recommande le personnage de Gerasim. J'ai l'impression que c'est le personnage en qui nous nous reconnaissons le moins et auquel nous souhaiterions le plus ressembler. Nous espérons un jour, le temps venu, avoir à nos côtés quelqu'un comme Gerasim.

Je sais que vous êtes très occupé, Monsieur Harper. Nous sommes tous occupés. Les moines qui méditent dans leur cellule sont occupés. C'est le sort de la vie d'adulte, pleine jusqu'au plafond de choses à faire. (On dirait qu'il n'y a que les enfants et les vieillards qui ne sont pas affligés d'un manque de temps – et voyez comme ils jouissent de leurs lectures, comme leur vie illumine leur regard.) Mais chacun dispose d'un espace, près de là où il ou elle va poser la tête pour dormir, que ce soit sur un bout d'asphalte ou une jolie table de nuit. À cet endroit, le soir, un livre peut briller. Et dans ces moments d'éveil tranquille, quand nous commençons à lâcher prise des tracas du jour, voilà venu l'instant parfait pour prendre un livre et devenir quelqu'un d'autre, nous trouver ailleurs, le temps de quelques minutes, le temps de quelques pages, avant de nous endormir. Et il y a bien sûr d'autres possibilités. Sherwood Anderson, l'écrivain américain bien connu pour son recueil de nouvelles intitulé *Winesburg, Ohio*, a écrit ses premières histoires au cours de ses trajets quotidiens en train. On dit que Stephen King ne manque jamais d'apporter un livre à lire pendant les intermèdes de ses chères parties de baseball. C'est vraiment une question de choix.

Et je vous suggère de choisir, rien que pour quelques minutes chaque jour, de lire *La mort d'Ivan Ilitch*.

Cordialement vôtre,
Yann Martel

Réponse :

Le 8 mai 2007

Cher Monsieur Martel,

Au nom du premier ministre, je tiens à vous remercier de votre lettre récente et de l'exemplaire de *La mort d'Ivan Ilitch*, de Tolstoï. Nous avons apprécié la lecture de vos commentaires et de vos suggestions inspirées de ce roman.

Une fois de plus, veuillez accepter nos remerciements pour avoir pris le temps de nous écrire.

Cordialement,
Susan I. Ross
Adjointe du premier ministre

Léon Tolstoï (1828-1910) auteur prolifique, essayiste, dramaturge, philosophe et réformateur scolaire. Né dans une famille aristocratique russe, il est surtout connu pour ses œuvres de fiction portant particulièrement sur la vie en Russie, et il est considéré comme l'un des principaux contributeurs à la littérature mondiale du XIXe siècle. De son mariage avec Sophia Tolstaya il eut treize enfants, dont huit ont survécu jusqu'à l'âge adulte. Tolstoï a écrit quatorze romans (les deux plus célèbres étant *Anna Karénine* et *Guerre et paix*), de nombreux essais et des travaux de non-fiction, trois pièces et plus de trente nouvelles.

La ferme des animaux
de George Orwell

À Stephen Harper,
premier ministre du Canada,
d'un écrivain canadien,
avec ses meilleurs vœux,
Yann Martel
P.-S. Bon anniversaire

Le 30 avril 2007

Cher Monsieur Harper,

Maintenant que les Flames ont été éliminés des finales de la Ligue nationale de hockey, je suppose que vous allez disposer d'un peu plus de temps libre.

J'ai bien peur que certaines personnes ne me fassent des reproches quant au deuxième livre que je vous envoie, *La ferme des animaux*, de George Orwell. C'est un livre tellement connu, et c'en est un autre écrit par un homme blanc et mort. Mais il nous reste encore du temps pour présenter tous ceux et celles qui ont harnaché les mots pour s'exprimer – croyez-en ma parole, ils sont divers et légions –, à moins que vous ne soyez défait lors des prochaines élections, ce qui se trouverait à vous laisser encore plus de temps pour lire mais non, hélas, en suivant mes suggestions.

Un grand nombre d'entre nous avons lu *La ferme des animaux* quand nous étions jeunes, peut-être l'avez-vous lu vous aussi, et nous avons aimé ce livre à cause des animaux et de l'esprit qui l'anime. Mais c'est une fois atteint l'âge de la maturité que nous pouvons mieux en apprécier la signification.

La ferme des animaux et *La mort d'Ivan Ilitch* ont certaines caractéristiques en commun : les deux livres sont courts, tous deux prouvent la capacité qu'a la grande littérature de transformer la réalité, et l'un comme l'autre parlent de la bêtise et de l'illusion. Mais alors qu'*Ivan Ilitch* traite de la bêtise individuelle, de l'échec d'une personne à mener une vie authentique, *La ferme des animaux* traite de la bêtise collective. C'est un livre politique, où rien n'échappera à un homme de votre profession. Le sujet en est l'un des rares sur lesquels nous pouvons tous être d'accord : le fléau de la tyrannie. Bien sûr, on ne peut pas réduire un livre à son thème. C'est quand on le lit qu'un livre atteint son envergure, et non dans ce qu'il cherche à examiner.

Mais j'ai aussi une raison personnelle de choisir *La ferme des animaux* : j'aspire à écrire un livre similaire.

D'abord, *La ferme des animaux*. Vous allez dès le début remarquer le style limpide et sans affectation du roman ; c'est la marque d'Orwell. Il crée l'impression que les mots sont juste tombés sur la page, comme s'il s'agissait de la plus naturelle des choses au monde que d'écrire des phrases, des paragraphes et des pages pareils. Ce n'est pas le cas. Penser clairement et s'exprimer clairement sont deux tâches très difficiles. Mais je suis sûr que vous êtes au courant de cela puisque vous travaillez à des discours et à toutes sortes de documents.

L'histoire est simple. Les animaux de la Ferme du Manoir en ont assez du fermier Jones et de sa manière de les exploiter ; alors ils se rebellent, ils l'expulsent et ils organisent une commune dirigée selon les principes égalitaires les plus élevés. Mais il y a un vilain cochon qui s'appelle Napoléon, et un autre qui s'appelle Brille-Babil – un sacré parleur, celui-là – et ils forment le cauchemar qui va détruire le rêve de la Ferme des animaux, nouvelle appellation qu'on a donnée à la ferme, malgré les vains efforts de Boule de neige, un autre cochon, et la docile bonté de la plupart des animaux de la ferme.

J'ai toujours trouvé très émouvante la fin du chapitre deux. Il y a la question des cinq seaux de lait tiré des vaches. Qu'en faire, maintenant que le fermier Jones est parti et qu'on ne vendra plus le lait ? Un poulet suggère de le mélanger à la pâtée que tout le monde mange. « Laissez tomber le lait, camarades ! » s'exclame Napoléon. « C'est la récolte qui est la plus importante. Le camarade Boule de neige va ouvrir le chemin, je vous suis dans quelques minutes. » Et les animaux partent donc récolter la moisson. Et le lait ? Eh bien « … le soir, on remarqua que le lait avait disparu. »

Avec ces cinq seaux de lait immaculé, c'est l'idéal de la Ferme des animaux, encore si jeune, qui commence à s'en aller à vau-l'eau, à cause du cœur corrompu de Napoléon. Et puis les choses empirent, comme vous allez le constater.

La ferme des animaux est l'exemple parfait de l'une des choses que la littérature peut être : l'histoire portative. Voici un lecteur qui ne sait rien de l'histoire du xxᵉ siècle, qui n'a jamais entendu parler de Joseph Staline ou de Léon Trotsky ou de la Révolution d'octobre ? Pas de problème : *La ferme des animaux* va communiquer à ce lecteur l'essence de ce qui s'est passé chez nos voisins au delà de l'océan Arctique. La perversion d'un idéal, la corruption du pouvoir, les abus de langage, la destruction d'une nation – tout est là, dans à peine cent vingt pages. Et après avoir lu ces pages, le lecteur est tout à coup éclairé en ce qui concerne les politiciens méchants. Voilà bien ce que la littérature peut également être : un vaccin.

Et maintenant la raison personnelle pour laquelle je vous envoie *La ferme des animaux* : le peuple juif d'Europe assassiné aux mains des Nazis a aussi besoin que son histoire soit rendue portative. Et c'est ce que je tente d'accomplir avec mon prochain livre. Mais de saisir les décombres de l'histoire – tant de larmes, tant de sang versé – et d'en extraire quelques belles pages, de changer l'horreur en quelque chose de digestible, c'est loin d'être une tâche facile.

Je vous offre donc ce qui est pour moi un idéal littéraire, en même temps qu'une formidable expérience de lecture.

Cordialement vôtre,
Yann Martel

P.-S. Bon anniversaire

George Orwell (1903-1950), de son nom Eric Arthur Blair, romancier, journaliste, essayiste, poète et critique littéraire anglais. Né en Inde dans une famille qu'il identifiait comme « de la plus basse classe moyenne ». Il a combattu et a été blessé pendant la guerre d'Espagne. Ses deux œuvres les plus remarquables, *La ferme des animaux* et *1984*, reflètent bien son style caractéristique ainsi que ses deux principales préoccupations : la conscience de l'injustice sociale et l'opposition au totalitarisme. Il est aussi très réputé pour l'intérêt qu'il portait au langage en politique et dans la formation de notre vision du monde. Il est mort de tuberculose à 46 ans.

LIVRE 3

Le meurtre de Roger Ackroyd
d'Agatha Christie

À Stephen Harper,
premier ministre du Canada,
d'un écrivain canadien,
avec ses meilleurs vœux,
Yann Martel

Le 14 mai 2007

Cher Monsieur Harper,

Qu'est-ce qu'on pourrait bien ne pas aimer chez Agatha Christie ? Ses livres sont un plaisir coupable ; qui aurait pu croire qu'un assassinat puisse être aussi délicieux ? J'ai choisi pour vous *Le meurtre de Roger Ackroyd*. Hercule Poirot, le fameux détective belge, a choisi d'une façon plutôt bizarre de prendre sa retraite dans le village de King's Abbot pour faire pousser des courges. Mais ses projets de jardinage sont bouleversés par un horrible meurtre. Qui a bien pu le commettre ? Les circonstances sont si étranges...

L'une des grandes qualités d'Agatha Christie (curieux qu'on ne l'appelle jamais simplement « Christie »), c'est que chez elle l'ambition et le talent formaient un couple parfait. Dans plus de quatre-vingts romans, elle a pleinement comblé ses lecteurs. Je crois que de relever un tel défi dans le domaine littéraire n'exige pas seulement du talent et une bonne maîtrise de son genre littéraire, mais aussi une forte dose de connaissance de soi. En plus d'une succession de cadavres, il en résulte une intégrité artistique qui a fait aimer l'auteure par plusieurs générations.

J'ai souligné, à la page 38, une référence à George Elliot qui me plaisait.

Et il y a une autre explication pour ces livres de poche qui ne coûtent jamais grand-chose, même quand ils sont neufs : j'aime l'idée de tenir un livre que quelqu'un d'autre a tenu, l'idée que mes yeux parcourent des lignes que le regard d'autres yeux a suivies. Voilà en une image la communauté des lecteurs, la communion de la littérature.

J'étais à Ottawa récemment et pendant que je m'y trouvais, j'ai visité la Maison Laurier, là où ont vécu et travaillé deux de vos plus illustres prédécesseurs : Wilfrid Laurier et William Lyon Mackenzie King. C'est une résidence imposante, aux boiseries foncées, aux tapis luxueux, aux meubles impressionnants (et un ascenseur caché). Quel décor parfait pour un roman policier écrit par Agatha Christie, ai-je pensé, ce qui explique le livre que vous avez maintenant entre les mains.

Une partie de la bibliothèque de King.

Saviez-vous que Laurier et King étaient tous deux d'avides lecteurs ? Je joins des photos prises dans la bibliothèque de M. King, qui était aussi l'endroit où il travaillait, aidant le Canada à faire face à la Dépression et à la Seconde Guerre mondiale, sans oublier l'élaboration des bases de notre formidable système de bien-être social. Remarquables, la variété et le nombre de livres qu'il a lus, dont l'un que j'affectionne particulièrement, l'une des plus grandes œuvres jamais écrites, *La divine comédie* de Dante. Il y avait aussi tout Kipling, et tout Shakespeare. Une biographie en deux volumes de Louis Pasteur. Des livres sur l'art. Des tablettes et des tablettes d'une grande variété d'œuvres historiques ou biographiques. Il y avait même des livres qui semblaient des manuels d'aide personnelle, pour le soin du corps et la

King était aussi musicien.

santé. Une bibliothèque franchement remarquable. Sans oublier le piano.

Laurier, qui a fait d'une colonie indépendante un pays, était un lecteur encore plus enthousiaste. Sa bibliothèque était si vaste que King a dû s'en défaire quand il a emménagé, ayant besoin de l'espace pour sa propre collection. Les livres de Laurier sont présentement entreposés aux Archives nationales.

Comment arrivaient-ils à lire autant? Peut-être que Laurier et King géraient parfaitement leur emploi du temps. Une chose est sûre, il n'y avait pas la télévision pour les informer, d'une part, mais aussi pour dévorer inutilement leur temps, d'autre part. Ou peut-être que la lecture était un élément naturel et essentiel de la vie d'un gentleman respectable et complet. S'agissait-il d'une habitude enracinée, venue de leur classe privilégiée, qui permettait à ces deux premiers ministres d'accorder tant d'heures à la lecture?

Peut-être qu'à l'époque la lecture était une activité distinguée. Mais plus maintenant. Dans un pays riche et égalitaire comme le nôtre, où le taux d'alphabétisation est élevé (même s'il y a encore des gens qui ont des difficultés et ont besoin de notre aide), et où les bibliothèques publiques sont justement cela, publiques, la lecture n'est plus le passe-temps de l'élite. De nos jours, un bon livre n'a pas de classe, pour ainsi dire, et tout le monde peut en acquérir un. L'une des merveilles de l'endroit où je vis, la splendide province de la Saskatchewan, est que la plus petite des villes – Hazlet, par exemple, qui compte une population de cent vingt-six personnes – dispose d'une bibliothèque publique. Et puis les livres n'ont pas à être chers, tant et si bien que chacun peut en posséder. Pour cinquante sous, vous pouvez acquérir un livre usagé qui vaut une mine d'or. Après cela, pour faire fructifier cet investissement, tout ce dont on a besoin, c'est d'un peu de temps.

Je parie que King, en se dépêchant d'aller au lit, marmonnait : « Je suis sûr que c'est Parker, le maître d'hôtel, qui l'a fait ! »

Cordialement vôtre,
Yann Martel

Dame Agatha Christie (1890-1977), écrivaine britannique de nombreuses fois couronnée de prix et appelée par certains « la Reine du Crime », elle est l'une des auteur(e)s dont les livres se sont le plus vendus de tous les temps. Sa réputation s'étend partout dans le monde pour ses romans policiers et elle a créé deux des plus singuliers personnages de détectives dans l'histoire de la littérature policière : Hercule Poirot et Miss Jane Marple. Elle a travaillé en tant qu'infirmière pendant la Première Guerre mondiale, acquérant ainsi une connaissance des poisons et des maladies qui lui servirait plus tard dans ses polars. En 1926, année de la publication du *Meurtre de Roger Ackroyd*, les cancans ont couru quand elle disparut pendant trois semaines. À plus de quatre-vingts romans viennent s'ajouter des pièces de théâtre, des nouvelles et des romans d'amour. Un grand nombre de ses histoires ont été portées à l'écran.

Livre 4

À la hauteur de Grand Central Station je me suis assise et j'ai pleuré
d'Elizabeth Smart

À Stephen Harper,
premier ministre du Canada,
d'un écrivain canadien,
avec ses meilleurs vœux,
Yann Martel

Le 28 mai 2007

Cher Monsieur Harper,

Et maintenant une œuvre à lire à voix haute. Je crois que c'est la meilleure manière d'apprécier *À la hauteur de Grand Central Station je me suis assise et j'ai pleuré*, parce que c'est un livre langage, soit un livre où le langage est à la fois intrigue, personnage et cadre. Il y a autre chose, bien sûr, le thème ; et le thème ici est éternel : c'est l'amour. Alors quelle œuvre parfaite à lire au lit à la fin de la journée, et à voix haute. Un livre à partager.

Les liens qui existent entre l'art et la vie peuvent être simplificateurs, mais ce qui suit pourrait vous aider à surnager dans le torrent de ce langage : un jour, Elizabeth Smart a lu des poèmes dans une librairie et elle est tombée en amour – j'aurais envie de dire « a décidé de tomber en amour » – avec le poète, George Baker. Une bien bonne chose pour George Baker, car j'ai l'impression que la postérité se souviendra de lui bien plus pour avoir été « le poète duquel Elizabeth Smart est tombée amoureuse » que pour sa poésie. Smart et George Baker ont fini par se rencontrer, en Californie, sont devenus amants ; pour elle, débuta alors l'essentiel de son bonheur et de son enfer. Car George Baker était marié et allait maintenir des relations durables avec d'autres femmes que sa propre épouse et qu'Elizabeth Smart. Le grand nombre d'enfants dont il fut le père – quinze en tout, dont quatre de Smart – pourrait indiquer qu'il tenait les conséquences de l'amour pour aussi sérieuses que ses prémices, mais je doute qu'il ait eu de grandes qualités de père. Revenons à nos moutons. Elizabeth Smart s'est éprise de George Baker, ç'a été fatal pour son cœur, mais il en est né ce formidable livre. D'une certaine façon, Smart était un autre Dante et *À la hauteur de Grand Central Station* est une autre *Divine comédie*, sauf que le trajet se fait dans le sens contraire : Smart commença au paradis et suivit son chemin jusqu'à l'enfer.

Donc, des couches successives d'allusions allégoriques et d'envolées métaphoriques, mais au cœur de l'œuvre, il y a ce solide diamant d'histoire amoureuse passionnée.

Je vais vous laisser réfléchir, et tirer vos propres conclusions de cette aventure amoureuse. Ce dont on peut parler plus aisément, c'est de la beauté du langage. Le langage est la forme de métaphore la plus rudimentaire. C'est un système de grognements raffinés dans lequel on convient qu'un son qu'on prononce, disons « épinard », représente, désigne cette plante-là, verte et feuillue, qui est bonne à manger. Cela donne une telle facilité et tant d'efficacité à la communication qu'on n'a pas continuellement à pointer avec insistance vers cette plante. Je m'imagine tout un groupe d'humains des cavernes bougeant la tête, grognant et criant de joie quand ils eurent cette idée pour la première fois. L'idée était tellement bonne qu'elle s'est répandue très rapidement. Quelle joie ç'a dû être, à la suite d'un bon nombre d'ardentes batailles, je suppose, d'avoir été les premiers à observer l'univers et à en tracer la carte avec des mots. Des groupes différents se sont mis d'accord sur des grognements différents, et c'est très bien. *Vive la différence.*

Nous avons donc : épinards, spinach, espinacas, spinaci, espinafre, spinat, spenat, pinaatti, szpinak, spenót, ШПИНАТ, السبانخ, et tant mieux. Car ces grognements utilitaires sont devenus, de manière inattendue, un monde en eux-mêmes, offrant leurs propres possibilités. Nous pensions que le langage n'allait être qu'un outil nous relayant directement le monde ; mais non, nous avons découvert que l'outil était devenu son propre univers, nous amenant toujours le monde externe, mais en intervenant, en l'influençant.

Maintenant, il y a le mot et il y a le monde et l'un et l'autre sont enlacés, comme deux amants.

Les deux amants dans le roman se font arrêter pour avoir tenté de traverser la frontière d'un État américain – à l'époque, un amour illicite était interdit de passage – et les premières pages de la quatrième partie reprennent superbement la rudesse avec laquelle le monde accueille parfois l'amour.

J'ai pensé vous citer quelques passages pour vous montrer la puissance de ce que vous avez entre les mains, mais il y en a trop – il faudrait citer le livre entier – et puis ce serait inapproprié de les citer hors contexte.

Vous vous souvenez que je vous ai recommandé Gerasim, dans *La mort d'Ivan Ilitch*. Et bien il y a dans ce livre l'antithèse tout aussi domestique mais mesquine de Gerasim : M. Wurtle.

M. Harper, méfiez-vous de M. Wurtle.

Ah, je ne résiste pas à la tentation de citer la page 30 :

Mais la certitude de mon amour n'est pas consternée par un événement que la prudence ou la pitié pourraient faire surgir, et à la fin, tout ce que nous pouvons faire est de rester assis à la table sur laquelle nos mains sont croisées, à écouter des mélodies sur le wurlitzer, avec entre nous un amour immense et simple, et rien d'autre à dire.

À la page 44 :

Quand la Ford au bruit de ferraille arrive à la porte, cinq minutes (cinq ans) en retard, et quand il traverse la pelouse sous les poivriers, je reste debout derrière les voilages, incapable d'aller à sa rencontre, de parler, tandis que je me liquéfie totalement afin de l'inonder complètement à l'instant où il ouvre la porte.

Romantisme grandiose ? Oui. Absolument impossible ? Bien sûr. Mais comme elle le demande à un policier, à la page 55 :

Pour quoi vivez-vous alors ?

Ce n'est pas mon genre de truc, répond le policier, j'aime la vie de famille, je suis membre du Club Rotary.

Elle aurait tout aussi bien pu être Jésus, et l'officier de police a sûrement souhaité plus tard avoir été l'humble centurion romain de Capharnaüm.

Et il y a ce paragraphe, à la page 65, après son retour à Ottawa, où elle était née, exilée là pour cause d'illégalité extraconjugale :

Et au-delà des maisons de bois sans éclat je perçois les restes de la passion des pionniers, et la détermination des premiers hommes d'État qui étaient doux mais singuliers et capables de se référer à Shakespeare quand ils discutaient politique sous les ormes.

Je me demande si elle a visité la Maison Laurier.

À la hauteur de Grand Central Station est une œuvre magistrale, ou plutôt, pour ainsi dire, une œuvre maîtresse, dans son évocation de l'amour. Une vie qui n'a pas été touchée par le type de passion qu'a vécu Elizabeth Smart n'est pas une vie pleinement vécue. Quant à cela, nous pouvons prendre sa parole.

Qui aurait pu croire que le langage pourrait arriver à de tels sommets ? Qui aurait cru que des grognements feraient renaître ainsi le miracle du monde ?

Cordialement vôtre,
Yann Martel

P.-S. Auriez-vous la gentillesse de remercier Susan Ross, de votre bureau, pour avoir répondu en votre nom à l'envoi du premier livre que je vous ai fait parvenir. Vous voudrez peut-être prêter votre copie de La mort d'Ivan Ilitch *à Mme Ross quand vous en aurez terminé ?*

Elizabeth Smart (1913-1986), romancière et poète canadienne. Issue d'une famille prestigieuse d'Ottawa, elle a beaucoup voyagé, travaillant aux États-

Unis et au Royaume-Uni. Pendant qu'elle était à Londres, elle lut un recueil de poèmes de George Baker et devint amoureuse, d'abord de l'œuvre, puis de l'homme. Leur relation est le fondement de son œuvre la plus connue, *À la hauteur de Grand Central Station je me suis assise et j'ai pleuré*, qu'elle a écrite en Colombie-Britannique. Elle a établi résidence en Angleterre et elle a longtemps poursuivi sa relation avec Baker, qui était marié et dont elle eut quatre enfants. Elle travailla comme rédactrice publicitaire pendant treize ans, puis comme éditrice du magazine *Queen* pour ensuite se retirer dans un cottage dans le Suffolk.

La Bhagavad-Gita

À Stephen Harper,
premier ministre du Canada,
ce livre de sagesse indienne,
d'un écrivain canadien,
avec ses meilleurs vœux,
Yann Martel

Le 11 juin 2007

Cher Monsieur Harper,

Il est possible que vous soyez surpris par la direction où je vous emmène avec ce cinquième livre : un texte sacré hindou. Il y a bien des écrits sacrés hindous qui circulent, des milliers de pages. Vous avez peut-être entendu parler des *Veda*, surtout le *Rigveda*, ou des *Upanishad*, ou bien des deux grandes épopées sanscrites, le *Mahabharata* et le *Ramayana*, parmi bien d'autres. Leur tout, très long et varié, représente la somme totale de la pensée sur la vie d'une civilisation ancienne et encore prospère qui a sa source dans la vallée de l'Indus, partie de ce que l'on appelle maintenant l'Inde. Tout cela est plutôt vertigineux. Si vous avez l'impression de ne rien savoir, d'être saisi par la peur et l'ignorance, ne vous inquiétez pas : nous sommes tous pareils. Je suis convaincu que même des Hindous dévots ont souvent le même sentiment.

Le sentiment de peur et d'ignorance est en fait un bon point de départ, car c'est exactement celui d'Arjuna au début du *Bhagavad-Gita*, le livre que vous avez entre les mains. Le *Gita* est une courte partie du *Mahabharata*, un texte beaucoup plus long, et c'est le texte sacré hindou le plus lu, et pour cette raison on pourrait dire qu'il est le plus important.

Ce dont Arjuna a besoin, ce dont j'ai besoin, ce dont vous avez besoin, ce dont nous avons tous besoin, c'est d'une leçon de dharma, de bonne conduite selon la loi universelle. Et c'est la leçon que reçoit Arjuna de Krishna, qui est son ami et le conducteur de son char mais qui se trouve aussi à être le Seigneur Suprême et Dieu de Toute Chose.

Arjuna est à la veille de livrer une grande bataille. Il a demandé à Krishna de conduire leur char entre les deux armées qui se font face et il passe en revue les masses rassemblées de soldats. Il constate qu'il a des amis et des ennemis des deux côtés et il sait qu'un grand nombre d'entre eux vont mourir. C'est alors qu'il perd courage.

Il est possible que la bataille d'Arjuna ait son origine dans un fait réel et historique, mais dans le *Bhagavad-Gita*, on doit la considérer comme une métaphore. La véritable bataille ici est celle de la vie et chacun de nous est un Arjuna face à sa vie, avec tous ses terribles défis.

Je vous suggère de ne lire ni l'introduction savante, ni celle du traducteur, même si la traduction de Juan Mascaró est excellente ; c'est la raison pour laquelle j'ai choisi cette traduction pour vous. Elle est claire et poétique, libre de jargon et de pédanterie. Lisez à voix haute et vous allez sentir un vent cosmique traverser les mots. Mais je vous recommande de laisser de côté les introductions, car il se passe dans l'hindouisme ce qui se passe dans toutes les religions : il y a questions d'histoire et il y a questions de foi. Le Jésus historique, c'est une chose, le Jésus de la foi, c'en est une autre. Creusez trop profondément dans le Jésus historique et vous allez vous perdre dans l'anthropologie et rater le message. Le *Gita* de la foi – tout comme le Jésus de la foi – aura la plus grande influence sur vous si vous acceptez totalement ses propres repères, et tracez votre propre route à travers ses grandes injonctions et ses déconcertants mystères. Le *Gita* est un dialogue entre un homme et Dieu, et la meilleure lecture qu'on puisse en faire, en tout cas au début, est celle d'un dialogue entre un lecteur et le texte. Après cette première rencontre, si vous le voulez, les savants peuvent vous être d'une certaine assistance.

Il se pourrait qu'il y ait dans cette œuvre des idées qui vous agacent. Selon les critères occidentaux, il y a une propension au fatalisme dans l'hindouisme qui en embête certains. Nous vivons dans une société extrêmement individualiste et nous faisons grand cas des manifestations de notre égo. Si nous prenions à cœur l'une des leçons fondamentales du *Gita* – agir de manière détachée –, peut-être nous manifesterions-nous de façon plus calme et verrions-nous que l'égo, dans l'ordre des choses, n'est en fait qu'une affaire bien frêle et transitoire.

Lisez le *Bhagavad-Gita* dans un moment de quiétude et d'ouverture de cœur et il vous transformera. C'est un texte majestueux, élevé et exaltant. Tout comme Arjuna, vous sortirez plus sage et plus serein de ce dialogue avec Krishna, prêt à l'action mais habité d'une paix intérieure et d'un sentiment de tendresse aimante.

Om shanti (que la paix soit avec vous), comme on dit en Inde.

Cordialement vôtre,
Yann Martel

LIVRE 6

Bonjour tristesse
de Françoise Sagan

À Stephen Harper,
premier ministre du Canada,
d'un écrivain canadien,
avec ses meilleurs vœux,
Yann Martel

Le 25 juin 2007

Cher Monsieur Harper,

Depuis Londres, en Grande-Bretagne, je vous envoie une traduction en anglais d'un roman français. Dans ce roman, les gens fument, se font gifler, boivent beaucoup puis conduisent leur voiture pour rentrer à la maison, avalent le café le plus fort au petit déjeuner, et sont toujours occupés par l'amour. Très français d'une certaine époque.

Bonjour tristesse a été publié en France en 1954. Son auteure, Françoise Sagan, avait 19 ans. Du jour au lendemain, elle devenait fameuse et son livre, un best-seller. Bien plus, l'écrivaine et son œuvre sont devenus des symboles.

Bonjour tristesse est un roman narré à la première personne par une jeune fille de 17 ans, Cécile. Elle dit de son père, Raymond, qu'il est « un homme léger, habile en affaires, toujours curieux et vite blasé, et qui plaisait aux femmes ». On ne revient plus jamais dans l'histoire sur son habileté en affaires mais elle a de toute évidence permis à Raymond de jouir librement de ses autres traits de caractère : il est frivole, curieux, blasé, un séducteur naturel ; tout cela tourne autour des badineries galantes et du libertinage. Il partage ce tempérament avec sa fille chérie ; ils passent tous deux les vacances d'été dans le sud de la France avec Elsa, sa nouvelle et toute jeune maîtresse. Ce triangle convient tout à fait à Cécile et elle s'adonne pour sa part aux plaisirs de la plage, qui en viennent à inclure Cyril, un beau jeune homme qui en pince pour elle.

Mais tout se gâte quand le père invite Anne à se joindre à eux. C'est une vieille amie de la famille, une belle femme, de l'âge de son père, une personne d'une autre trempe, plus posée. Elle commence à se mêler de la vie de Cécile. Pire encore, quelques semaines après son arrivée, Raymond lâche la divertissante Elsa et entame une relation avec Anne. Puis, peu après, Anne annonce qu'elle et son père ont l'intention de se marier. Cécile est atterrée. Son couailleur de père et Anne mari et femme ? Elle, Cécile, devenir une belle-fille d'Anne, qui s'attellera à faire d'elle une jeune adulte sérieuse et studieuse ? *Quel cauchemar !* Cécile entreprend de faire échouer l'affaire, en se servant d'Elsa et de Cyril comme pions. Le résultat en sera tragique.

À la suite des sinistres conséquences de la Seconde Guerre mondiale et des pénibles efforts de reconstruction de l'après-guerre, *Bonjour tristesse* a éclaté sur la scène littéraire française comme un carnaval. Le livre annonçait l'avènement d'une sorte de nouvelle espèce, *la jeunesse*, qui n'avait qu'un message à livrer : partagez le plaisir avec nous ou disparaissez ; passez la nuit dans des boîtes de jazz ou ne sortez plus avec nous ; ne nous parlez pas de mariage et autres conventions ennuyeuses ; fumons, plutôt, et vive l'oisiveté ; oubliez l'avenir – quel est l'amant du moment ? Quant à la tristesse du titre, c'était une bonne excuse pour faire la moue.

Cette attitude si impertinente, si volontairement indolente et qui méprisait toutes les valeurs conventionnelles fit l'effet d'une bombe dans la bourgeoisie. Françoise Sagan se mérita une condamnation papale, qu'elle a sûrement savourée.

Un livre peut faire cela, saisir une époque et son esprit, devenir l'expression d'une vaste aspiration qui vibre dans la société. Lisez le roman et non seulement vous comprendrez les personnages, mais aussi le Zeitgeist. Il peut arriver qu'un groupe s'identifie ardemment à un livre – prenez *On the Road* de Jack Kerouac, pour la jeunesse américaine – ou, au contraire, s'y objecte puissamment – comme pour *Les versets sataniques* de Salman Rushdie, parmi certains groupes musulmans.

C'est là aussi ce qu'un livre peut être, un thermomètre qui annonce une fièvre.

Cordialement vôtre,
Yann Martel

Françoise Sagan (1935-2004), née Françoise Quoirez, romancière, dramaturge et scénariste française. Les romans de Sagan tournent autour de personnages bourgeois désillusionnés (souvent des adolescents) et de thèmes généralement romantiques ; on a comparé son œuvre à celle de J. D. Salinger. L'écrivain François Mauriac l'a décrite comme « un charmant petit monstre ». Son œuvre compte dès douzaines d'œuvres imprimées et jouées. Elle a subi un accident de voiture en 1957, une expérience qui la mena à une intoxication aux analgésiques et autres drogues pendant le plus clair du reste de sa vie.

Candide
de Voltaire

À Stephen Harper,
premier ministre du Canada,
ce roman plein d'esprit, sur le mal,
d'un écrivain canadien,
avec ses meilleurs vœux,
Yann Martel

Le 9 juillet 2007

Cher Monsieur Harper,

Vous connaissez sûrement la théorie des six degrés de sépara-tion, soit l'idée selon laquelle chacun de nous sur cette planète est connecté à tout le monde par une chaîne de cinq personnes. Eh bien, d'une certaine façon, vous et moi sommes liés par ce septième livre que je vous envoie, *Candide*, de Voltaire. Je m'explique. Au début du chapitre XXIII, il y a une brève scène où Candide, qui vient juste d'arriver à Portsmouth, en Angleterre, est le témoin de l'exécution d'un amiral anglais. « Pourquoi tuer cet amiral ? » demande Candide.

« C'est parce qu'il n'a pas fait tuer assez de monde », lui répond-on.

Cet incident n'a pas été inventé par Voltaire. Il y a eu en effet un amiral anglais qui a été exécuté parce qu'il « n'avait pas fait le maxi-mum » lors d'une bataille navale contre les Français au large de l'île de Minorque. Il a été le premier et le seul amiral britannique ainsi traité par la Grande-Bretagne et il s'appelait John Byng.

Reconnaissez-vous ce patronyme ? Oui, c'est bien ça : Lord Byng de Vimy, celui de « l'affaire King-Byng », Gouverneur général du Canada de 1921 à 1926, et un descendant direct du malheureux ami-ral Byng. Je suis certain que vous avez de fréquents échanges avec le successeur actuel de Lord Byng, Son Excellence Madame Michaëlle

Jean. Et maintenant le dernier degré de séparation : un descendant direct des deux Byng, Jamie Byng, est un ami à moi et mon éditeur anglais. Voilà, six degrés de séparation : moi-Voltaire-Byng-Byng-Byng-Jean-vous.

C'est dans ce même chapitre XXIII de *Candide*, en fait dans le paragraphe juste avant l'exécution de l'amiral Byng, que Voltaire prononce cette fameuse phrase dérogatoire sur le Canada : ces « quelques arpents de neige ». N'est-ce pas tout à fait étonnant ? Voltaire parle du Canada et puis immédiatement après il raconte une histoire sur quelqu'un que nous connaissons tous les deux. M. Harper, le lien qui nous unit ne saurait être plus prédestiné !

Une dernière anecdote. Je peux aussi dire ceci de *Candide* : pas une fois mais bien à deux occasions j'ai rencontré quelqu'un qui lisait un livre dont j'ai cru reconnaître le titre, ce qui m'a fait m'exclamer à quel point c'était un roman formidable, prévoyant provoquer ainsi un bon échange sur les péripéties terribles et drôles que subit le pauvre Candide, mais pour me faire dire à chaque fois, par une lectrice, que le *e* était un *a* et qu'elle n'était pas en train de lire la brillante satire de Voltaire, mais plutôt un livre sur « Candida » (la candidose), une importune et récurrente et très irritante infection vaginale. Après, vous vous en doutez, la conversation devenait un peu guindée.

Venons-en aux faits. *Candide*, œuvre publiée en 1759, est un conte court, attrayant et drôle traitant d'un problème sérieux : le mal et les souffrances qu'il provoque. Voltaire a vécu de 1694 à 1778 et fut l'un des plus grands importuns – on dirait même « emmerdeur » – de son époque. Dans *Candide*, il cible et attaque ce qu'il perçoit être l'optimisme simpliste de son temps, un optimisme typiquement décrit par le philosophe Gottfried Leibniz qui disait du monde qu'il était « le meilleur des mondes possibles » (vous vous rappelez peut-être cette phrase dans la chanson ironique de Kris Kristofferson). Le raisonnement derrière cette conclusion est que puisque Dieu est bon et tout-puissant, le monde ne peut être autre chose que le meilleur des mondes qu'on puisse concevoir, dans une harmonie parfaite de ses composantes. Le mal avait donc comme rôle d'accroître le bien, puisque c'est par le choix dont nous disposons de nous porter vers le bien ou vers le mal que nous, faillibles humains, nous améliorons et devenons bons.

On peut certes se mettre d'accord sur le fait que l'adversité peut nous donner des ressources insoupçonnées et cela continue d'être une doctrine chrétienne que nous sommes « améliorés par la souffrance ». Mais une justification aussi légère du mal a de bien évidentes limites. Ça peut toujours aller dans le cas d'un coup de pied au derrière, perçu après coup comme un bienfait caché. Mais est-ce que cela s'applique pour le mal abominable et le malheur flagrant ?

Voltaire écrivit *Candide* en bonne partie en réaction contre un événement évidemment malheureux. Le matin du 1er novembre 1755, un catastrophique tremblement de terre frappa Lisbonne. Immédiatement, la plupart des églises de la ville s'écroulèrent, tuant des milliers de personnes qui s'y trouvaient. D'autres édifices publics s'affaissèrent également, ainsi que plus de douze mille habitations. Après les séismes, la ville fut frappée par un tsunami, puis le feu provoqua encore plus de destruction. Plus de soixante mille personnes moururent et les dommages matériels, à une époque où l'on ne connaissait pas les dévastations que peuvent causer les bombes modernes, étaient sans précédent. Le tremblement de terre de Lisbonne a eu en son temps le même effet dévastateur sur les gens que l'Holocauste a eu de nos jours. Mais alors que la barbarie des Nazis nous a surtout fait réfléchir sur la nature humaine, le tremblement de terre de Lisbonne a fait réfléchir sur la nature de Dieu. Comment Dieu avait-il pu approuver qu'une telle cruauté frappe une ville aussi pieuse et fidèle à l'Évangile que Lisbonne et, pour comble, le jour de la Toussaint ? De quelle manière pourrait-on même imaginer que le fait de tuer tant de gens puisse faire croître le bien dans le monde ?

La réponse à ces questions aussi troublantes – le Saint-Graal de la théodicée – nous échappe maintenant autant qu'à l'époque. C'est peut-être parce que nous manquons toujours de perspective, parce qu'en tant que mortels nous ne pouvons comprendre que les grands maux s'inscrivent dans un projet divin et qu'en toute fin de compte ils ont un sens.

Entre-temps, jusqu'à ce que Dieu vienne à nous et nous explique en détail ce plan, le mal sévit. Voltaire a été outré par le tremblement de terre de Lisbonne. Pour lui, il était clair que ni la Providence ni Dieu n'existaient. Être éternellement optimiste face au mal et à la souffrance était non seulement une injure aux victimes, mais une position morale et intellectuelle intenable. Et il entreprit de le prouver dans l'histoire de Candide, ce jeune homme naïf originaire de Thunder-ten-tronckh, en Westphalie, qui aurait pu avoir comme devise « Tout est pour le mieux » tant il était optimiste au début du roman. Attendez de voir toutes les catastrophes qui le frappent. Le roman se termine, après tout ce qui s'est passé, tout ce qu'il a souffert, avec un simple appel au travail tranquille, paisible et collectif : « Il faut cultiver notre jardin. »

Cet appel est peut-être encore la seule réponse possible à ce que nous pouvons pratiquement faire face au mal : passer notre temps simplement, de manière féconde et avec les autres.

Cordialement vôtre,
Yann Martel

Voltaire (1694-1778), né François-Marie Arouet, écrivain et philosophe français de l'époque des Lumières. Il fut immensément prolifique, écrivant romans, poésie, pièces, essais, textes scientifiques et ouvrages historiques. Voltaire était politiquement très actif, appuyant les réformes sociales, le libre-échange, les droits civils et la liberté de religion. Il fut un ardent critique de l'Église catholique. Ses satires lui causèrent des ennuis : en 1717, il fut emprisonné à la Bastille pendant onze mois pour avoir critiqué le gouvernement français ; et en 1726, il fut exilé de France pendant trois ans pour insulte à un membre de l'aristocratie. Ses restes reposent au Panthéon, à Paris.

LIVRE 8

Short and Sweet : 101 Very Short Poems
choix de Simon Armitage, publié par Faber and Faber

À Stephen Harper,
premier ministre du Canada,
un livre d'une concise beauté,
d'un écrivain canadien,
avec ses meilleurs vœux,
Yann Martel

Le 23 juillet 2007

Cher Monsieur Harper,

Vous avez déclaré il y a quelques années que votre livre favori
était le *Livre Guinness des records*. Eh bien, en vous disant lecteur
fidèle de ces volumes annuels, vous disiez aussi qu'au moins une
fois vous avez lu un poème. Simon Armitage, l'éditeur de *Short and
Sweet : 101 Very Short Poems*, le livre que je vous fais parvenir cette
fois-ci, déclare dans sa préface que son intérêt pour les poèmes très
courts s'est développé chez lui à l'adolescence quand il lut, dans le
livre Guinness déjà mentionné, ce qui prétendait être le plus bref
poème qui soit :

Fleas	**Puces**
Adam	Adam
'ad'em	en avait

C'est un chef-d'œuvre, n'est-ce pas ? Dans une seule strophe
rimée de quatre syllabes on évoque la relation antique et intime
entre l'humain et l'animal ; on évoque la grande ancienneté d'êtres
petits et négligés ; on évoque la pitoyable réalité de notre existence,
en dépit de ses origines divines, et la corruption de ce monde, inhé-
rente même dans le Paradis terrestre. Et plus encore : dans cette
rime, qui a la sonorité de « Adam Adam », n'entend-on pas une

plainte? Ou est-ce une accusation? Quoi qu'il en soit, il pourrait bien se faire que ces puces, ce soit nous.

Il n'y a rien comme la poésie pour en dire autant, si brièvement. Occupé? Fatigué? Vidé? La profonde intensité de la vie dont vous savez qu'elle existe quelque part vous manque et vous n'avez pas le temps de lire une grosse brique? Alors essayez ce poème de George Mackay Brown:

Taxman	**Percepteur**
Seven scythes leaned at the wall.	Il y a sept faux contre le mur.
Beard upon golden beard	Touffe après touffe de barbe d'or
The last barley load	Le dernier chargement d'orge
Swayed through the yard.	Balancé à travers la cour.
The girls uncorked the ale.	Les filles ont débouché la bière.
Fiddle and feet moved together.	Violon et pieds bougent à l'unisson.
Then between stubble and heather	Puis entre la chaume et la bruyère
A horseman rode.	Un homme à cheval est arrivé.

Remarquez l'extraordinaire concision de la structure narrative, qui laisse les émotions et les alternatives vibrer dans l'esprit du lecteur. La merveille de la poésie, c'est qu'elle peut être aussi brève qu'une question, et pourtant aussi puissante qu'une réponse. Par exemple, ce poème de Stephen Crane:

'In the Desert'
In the desert
I saw a creature, naked, bestial
Who, squatting upon de ground
Held his heart in his hands
And ate of it.
I said, "Is it good, friend?"
"It is bitter – bitter," he answered:
"But I like it
Because it is bitter,
And because it is my heart."

'Dans le désert'
Dans le désert
J'ai vu un être, nu, bestial,
Qui, accroupi sur le sol
Tenait son cœur dans ses mains,
Et en mangeait. Je lui demandai : « Est-ce bon, mon ami ? »
« C'est amer – amer », répondit-il,
« Mais j'aime ça
Parce que c'est amer,
Et parce que c'est mon cœur. »

J'envie cela chez les poètes, cette habileté à créer quelque chose de si petit mais qui donne pourtant l'impression d'être si complet, parvenant à faire entrer la vastitude de l'existence dans un tout petit contenant. Voyez ce poème d'Hugo Williams :

Lights Out
We're allowed to talk for ten minutes
about what has happened during the day,
then we have to go to sleep.
It doesn't matter what we dream about.

Extinction des feux
On nous permet de parler dix minutes
de ce qui s'est passé pendant la journée,
puis nous devons dormir.
Nos rêves, c'est sans importance.

La répétition convient bien à la poésie. Lisez l'un de ces poèmes plusieurs fois et vous allez vous en rendre compte : elle s'améliore à l'usage. Dans ce cas-ci, la familiarité provoque le respect.

Un dernier, superbe, de Wendy Cope :

Flowers
Some men never think of it.
You did. You'd come along

And say you'd nearly brought me flowers
But something had gone wrong. The shop was closed. Or you had
    doubts –
The sort that minds like ours
Dream up instantly. You thought
I might not want your flowers. It made me smile and hug you then.
Now I can only smile.
But, look, the flowers you nearly brought
Have lasted all this while.

Fleurs
Certains hommes n'y pensent jamais.
Toi non. Tu arrivais
Et disais que tu m'avais presque apporté des fleurs
Mais il y avait eu un malheur.
Le magasin était fermé, ou tu avais eu des doutes –
Du type que des esprits comme les nôtres
Inventent instantanément. Tu pensais
Que je ne voudrais peut-être pas tes fleurs. J'en souriais et je te
    serrais fort dans mes bras.
Maintenant, je peux tout juste sourire.
Mais vois, les fleurs que tu m'as presque apportées
Ont duré tout ce temps.

Ils ont beau être courts, je ne lirais pas précipitamment ces poèmes. La hâte pourrait bousculer l'écho de leur accalmie. On les lit encore mieux à voix haute, trouvant bien le rythme, faisant disparaître les hésitations, développant progressivement le sens de leur sens.

C'est un merveilleux exercice de – de quoi ? – d'humanité, je suppose.

Cordialement vôtre,
Yann Martel

Simon Armitage (né en 1963) poète, romancier et dramaturge britannique connu pour son humour vif et son style accessible. Il est l'auteur de neuf recueils de poésie et a écrit et présenté des œuvres pour la radio et pour la télévision. Il a reçu de nombreux prix pour sa poésie, dont le prix de l'Auteur de l'année accordé par le *Sunday Times*, un prix Forward de poésie, un prix Lannan, un prix Ivor Novello et le titre de poète du Millenium du Royaume-Uni pour son poème « Killing Time ». Armitage a été membre du jury du prix Griffin de poésie et du Man Booker Prize de fiction.

LIVRE 9

Chronique d'une mort annoncée
de Gabriel García Márquez

À Stephen Harper,
premier ministre du Canada,
d'un écrivain canadien,
avec ses meilleurs vœux,
Yann Martel

Le 6 août 2007

Cher Monsieur Harper,

Quand j'ai trouvé une copie d'occasion du livre que je vous envoie aujourd'hui, j'étais content qu'il s'agisse d'une édition cartonnée, la première après huit livres de poche, mais j'étais déçu par la qualité artistique de l'illustration de la couverture. Il est bien évident que *Chronique d'une mort annoncée*, le court roman du grand Gabriel García Márquez, mérite mieux que ce travail maladroit. Qui a choisi la couleur pourpre ? C'est tellement laid. Mais on ne peut juger un livre par sa couverture, n'est-ce pas ?

Une bonne façon d'aborder le sujet des clichés.

Un cliché, vous vous en souviendrez, c'est un lieu commun, une banalité. Il a dû y avoir un moment, au Moyen Âge peut-être, où, chez des moines qui lentement copiaient des livres à la main dans un monastère, l'idée qu'on ne puisse juger simplement par sa surface une chose substantielle, manifestée dans une pile de feuilles de papier reliées, protégées sous sa carapace, a pu sembler une révélation aux moines ébahis qui se regardèrent les uns et les autres puis coururent entonner d'une voix retentissante, *urbi et orbi*, : « Que le Seigneur soit loué ! On ne peut juger un livre par sa couverture ! Alléluia ! Alléluia ! »

Maintenant, même chez ceux qui ne lisent pas un livre par année, c'est un cliché, c'est une manière paresseuse, irréfléchie de s'exprimer.

Il y a parfois des clichés qui sont inévitables. « Je t'aime » – une phrase qui est à la source même du bien-être de tout être humain, « toi » étant quelqu'un d'autre, un groupe, une idée ou une cause élevée, un dieu ou simplement un reflet dans le miroir – est un cliché. Tout acteur ou actrice qui doit prononcer cette réplique se démène pour lui donner la fraîcheur qu'elle avait quand Adam l'a dite pour la première fois à Ève. Mais il n'y a pas de bonne façon de la rendre différemment – et personne n'essaie vraiment. Nous nous accommodons fort bien de « je t'aime », car la simplicité syntaxique de la chose – un sujet, un verbe, un complément, rien d'autre – correspond parfaitement à la véracité de l'intention. Nous prononçons donc le cliché, quelques-uns parmi nous le répétant plusieurs fois, pour insister, ou d'autres le disant continuellement, par exemple à la fin d'une conversation téléphonique avec un membre de sa famille. Amoureux au balcon, troupes à la guerre, derviches qui tournent – ils vivent tous un « je t'aime » qui n'est pas un cliché, mais plutôt une affirmation essentielle.

Mais autrement, les clichés doivent être évités comme le virus du Nil occidental. Pourquoi ? Parce qu'ils sont éventés et plats, et parce qu'ils sont contagieux. Les clichés sont des raccourcis d'écrivain, des manières pressées de dire « vous voyez ce que je veux dire » ; ils ne sont au début qu'un peu de mousse blanche d'œufs minuscules dans l'encre de votre plume, lentement couvés par la chaleur de vos doigts paresseux. Le tort fait à votre prose est léger, et les gens pardonnent facilement. Mais ce qui est commode, écourté, rapide n'aide pas à écrire les mots vrais, et si on ne fait pas attention – et l'attention exige beaucoup de travail – ces œufs se multiplient, ils éclosent et ils entrent dans votre sang.

Les dégâts peuvent être importants. L'infection peut atteindre vos yeux, votre nez, votre langue, vos oreilles, votre peau, et, pire encore, votre cerveau et votre cœur. Ce ne sont plus vos mots, écrits ou prononcés, qui sont conventionnels, conformistes, sans originalité, mornes. Maintenant, ce sont vos pensées elles-mêmes, vos sentiments qui ont perdu leur pulsion vitale. Dans les cas les plus sérieux, la personne ne peut même plus voir ou ressentir le monde directement, mais ne peut le percevoir qu'à travers le filtre réducteur, étouffant du cliché.

À ce stade, le cliché atteint sa dimension politique : le dogmatisme. Le dogmatisme en politique a exactement le même effet qu'a le cliché en écriture : il empêche l'âme d'établir une relation ouverte et honnête avec le monde, avec le pragmatisme qui apporte en nous tout le beau et généreux désordre de la vie.

Cliché et dogmatisme – deux maux reliés que tous les écrivains et tous les politiciens devrions éviter si nous voulons bien servir chacun notre public.

Quant au livre de Márquez, je l'ai choisi pour vous à cause de votre récent voyage en Amérique latine, et de votre intérêt renouvelé pour la région. Cet homme est un génie.

Cordialement vôtre,
Yann Martel

Gabriel García Márquez (né en 1927). Connu internationalement, ce romancier est aussi auteur de nouvelles, de scénarios, de mémoires, en plus d'être journaliste. Au cours de sa longue carrière littéraire, il a été célébré pour avoir rendu populaire le style du « réalisme magique ». García Márquez, surnommé « Gabo », situe ses histoires en Amérique latine et traite souvent de thèmes comme l'isolement, l'amour et la mémoire. Ses œuvres les plus réputées sont *Cent ans de solitude* et *L'amour au temps du choléra*. Son activisme politique est également notoire. Il a reçu le prix Nobel de littérature en 1982. Élevé en Colombie, il vit maintenant dans la ville de México.

LIVRE 10

Mademoiselle Julie
d'August Strindberg

À Stephen Harper,
premier ministre du Canada,
d'un écrivain canadien,
avec ses meilleurs vœux,
Yann Martel

Le 20 août 2007

Cher Monsieur Harper,

Alors qu'August Strindberg était encore étudiant à l'Université d'Uppsala, il reçut un jour une surprenante injonction : le roi Charles XV voulait le voir. Strindberg endossa son meilleur costume et fit le bref déplacement jusqu'au Palais Royal, à Stockholm. Âgé de 22 ans, issu d'une famille ordinaire, il était très pauvre et ses résultats académiques étaient tout à fait médiocres, mais le roi de Suède avait ses raisons de vouloir le rencontrer : passionné par les arts, il avait assisté à une représentation d'une pièce historique que Strindberg avait écrite, *Le hors-la-loi*, et il l'avait appréciée à un tel point qu'il promit au jeune homme une rémunération trimestrielle afin qu'il puisse terminer ses études universitaires. Strindberg était enchanté. Hélas, après seulement deux versements et sans la moindre explication, la source de la générosité royale se tarit. Ainsi va la vie. Strindberg abandonna ses études.

D'après tous les témoignages, Strindberg était vraiment un pauvre misérable. Il possédait un talent déraisonnable pour le malheur, surtout dans ses relations avec les femmes. En revanche, il détenait aussi un esprit d'une énergie, d'une intelligence et d'une originalité immenses, et il écrivait de brillantes pièces de théâtre.

Une pièce brillante est quelque chose de très particulier. De toutes les formes littéraires, l'art dramatique est le plus oral, beaucoup moins artificiel que la nouvelle, le roman ou le poème, et il dépend beaucoup moins de la publication pour trouver son épanouissement ; ce qui est important pour une pièce, ce n'est pas qu'elle soit lue, c'est qu'elle soit vue, en chair et en os. De bien des façons, la vie a tous les attributs d'une pièce : quand vous, M. Harper, entrez à la Chambre des communes, par exemple, vous entrez sur une scène. Et vous êtes là parce que vous jouez un rôle, le premier rôle. Et c'est parce que vous jouez ce rôle que vous vous levez, et que vous parlez. Et puis dans le *Hansard* du lendemain, ça se lit comme une pièce. C'est la même chose pour nous tous dans la vie : nous nous déplaçons sur diverses scènes, nous assumons différents rôles, et nous parlons. Mais il y a une différence cruciale, bien sûr, une différence qui est au cœur même de ce qu'est l'art : dans une pièce, il y a une structure et un sens que le dramaturge y a placés, alors que pour la vie, même au bout de plusieurs actes, la structure et le sens sont difficiles à trouver. Il y en a qui disent connaître un grand dramaturge qui est l'auteur de notre existence, mais même pour eux la structure et le sens demeurent un défi continuel.

Donc, si une pièce s'approche de la vie dans une grande mesure, de bien des manières ça n'a quand même rien de la vraie vie. Personne ne s'exprime de façon aussi exhaustive et précise que le personnage d'une pièce de théâtre, pas plus qu'il ne se révèle si rapidement et pourtant si subtilement, non plus qu'il ne le fasse avec des modulations de tensions qui atteignent un paroxysme, pas plus qu'il ne soit généralement dans un espace aussi restreint que celui d'une scène. En un mot : la vie est une pièce qui n'a pas de sens, alors qu'une pièce est une vie qui en a un.

(Il faut reconnaître qu'il existe des personnes pour lesquelles la vie a une signification claire et simple, que leur vision des choses n'est jamais le moindrement altérée par le doute, la flétrissure due au temps ne paraissant rien de plus qu'un simple souffle sur leur visage. Ces gens sont de ceux qui n'ont rien à faire d'une pièce de théâtre – ou de toute autre forme de grand art, d'ailleurs – qui remette la vie en question. Mais cela est une autre affaire.)

Le talent de dramaturge en est un que je n'ai pas. J'ai essayé de faire progresser une intrigue seulement par le dialogue, j'ai essayé d'exprimer mes pensées sur la vie uniquement en respectant les contraintes des répliques théâtrales, j'ai tenté de m'exercer l'oreille aux particularités du langage parlé – le résultat de ces efforts a été lamentable et impubliable. Remarquez d'ailleurs le nom de la profession de dramaturge en anglais : *playwright* ; *wright* se prononce comme *write*, écrire, mais c'est plutôt le sens d'artisan du bois – signification de *wright* – qui a frappé les Anglais pour l'écriture dramatique. Le monde des lettres peut en effet facilement se diviser entre ceux qui écrivent – *write* – et ceux qui travaillent le bois et le théâtre – *wright*. Il y a des exceptions – Samuel Beckett, par exemple –, mais il y a bien peu de gens qui puissent faire les deux choses avec succès.

Il y a trois pièces dans ce livre de Strindberg que je vous ai envoyé. C'est celle du milieu, *Mademoiselle Julie*, que je vous recommande. Vous allez y lire des dialogues si brillants, tellement pétillants de tension, si directs en apparence, et pourtant révélateurs d'un si grand émoi et d'une telle complexité, que tout vous semblera, paradoxalement, parfaitement naturel. C'est là le signe d'une grande œuvre dans la tradition naturaliste : une fluidité aisée. On a l'impression que le dramaturge s'est assis un jour avec une bonne et simple idée et que tout cela lui est venu facilement en un après-midi de travail. Je peux vous assurer que c'est comme de dire que tout ce que Michel-Ange avait à faire se limitait à tailler du bloc de marbre les morceaux qui ne ressemblaient pas à David.

Mademoiselle Julie, qui fut présentée pour la première fois en public en 1889, traite des limites imposées, principalement celles des rôles sexuels ou de la classe sociale. Mademoiselle Julie et Jean, son serviteur, se rencontrent, ont une aventure, et s'affrontent, et des conséquences tragiques s'ensuivent. J'adorerais voir la pièce représentée sur une scène. L'alchimie propre à la combinaison d'une grande pièce, d'un grand metteur en scène et de grands comédiens est rare, mais quand elle a lieu – je me rappelle une représentation jouée, il y a longtemps, à Stratford, de la pièce d'Eugene O'Neill *Long voyage vers la nuit* (*Long Day's Journey into Night*) avec Hume Cronyn et Jessica Tandy – cela donne une expérience d'une intensité qui selon moi est sans égale dans les arts littéraires.

Vous remarquerez que l'ancien propriétaire de votre copie de ce Strindberg a copieusement annoté le texte. Cela m'a déplu au début, cette défiguration de *Mademoiselle Julie*. Mais finalement, j'ai été charmé par les pensées et les opinions de l'intrus. Le graphisme est gros, clair et tout bouclé. Je pense que c'est une personne jeune qui a écrit ainsi, une jeune fille, probablement. Au sujet du commentaire de Jean qui dit « en revenant près de la grange j'ai regardé à l'intérieur et je me suis joint à la danse », notre hypothétique jeune lectrice écrit (en français) « joie de vivre ». Puis quand Jean dit effrontément à Mademoiselle Julie qu'il sait que Kristin, la cuisinière, parle en dormant car « je l'ai entendue », notre lectrice note « Kristin est sa maîtresse ». Elle croit diversement que Jean a un sens « pratique » ou qu'il est « réaliste », alors que Mademoiselle Julie « manque totalement d'esprit pratique ». Parmi d'autres courtes notes de sa part, on peut lire « moment dramatique », « flirt », « bourgeoisie » (en français), « il lui donne un avertissement », « séduction » et « trag. tout tomb en pièces » (*sic*).

Une dernière chose, pour clarifier un point à côté duquel on peut facilement passer : le « pavillon turc » de la page 90, dans lequel Jean dit s'être glissé furtivement quand il était enfant, « le plus bel édifice que j'aie jamais vu », dont les murs étaient « couverts de portraits de rois et d'empereurs », la première fois qu'il pénétrait « à l'intérieur d'un château », ce ne sont que des toilettes extérieures de luxe, et la sortie d'urgence qu'il est obligé d'emprunter quand il entend quelqu'un approcher est sûrement la dernière que vous souhaiteriez utiliser si vous étiez dans des toilettes extérieures.

Cordialement vôtre,
Yann Martel

August Strindberg (1849-1912), surtout connu pour sa dramaturgie, il a aussi écrit des nouvelles, des romans, des volumes d'autobiographie. En plus d'écrire, il était peintre et photographe et il fit même des expériences en alchimie. Dans sa vie comme dans son art, il était pessimiste et son œuvre a été marquée par une satire manifeste de la société suédoise. Les pièces de Strindberg sont de deux genres – naturalistes ou expressionnistes – et il est considéré comme l'un des pionniers de l'expressionnisme. Il a écrit des douzaines de pièces, dont les plus renommées étaient naturalistes : *Mademoiselle Julie* et *Le père*.

LIVRE 11

Les Watson
de Jane Austen

À Stephen Harper,
premier ministre du Canada,
d'un écrivain canadien,
avec ses meilleurs vœux,
Yann Martel

Le 3 septembre 2007

Cher Monsieur Harper,

La formidable Jane Austen. Elle est un brillant exemple de l'art qui – comme la politique – peut transformer le minerai le moins prometteur en un métal pur. Jane Austen faisait face à trois obstacles : elle vivait dans l'Angleterre *rurale*, elle venait de la classe moyenne à une époque à laquelle les possibilités de cette classe étaient loin de leur épanouissement, et elle était une femme. C'est dire que sa vie était cernée de restrictions.

L'Angleterre, au temps de Jane Austen – de 1775 à 1817 – était dans la pleine effervescence de la Révolution industrielle, et les révolutions sont l'occasion de grands bouleversements et de grands renouvellements, tant dans les arts qu'en politique. Mais Austen rata pratiquement cette révolution, surtout parce qu'elle vivait loin des centres urbains où les changements se déroulaient. Et dans le respectable arrière-pays où elle vivait, elle appartenait à la plus précaire des classes sociales : la classe moyenne sans terre, coincée entre une classe à laquelle elle n'aurait jamais voulu se joindre, la classe ouvrière, et une classe supérieure dont elle aurait souhaité faire partie, la noblesse. Cette précarité était aggravée par le fait qu'elle était une femme, ce qui lui interdisait de pratiquer les professions décemment acceptables pour la classe moyenne : le clergé, la profession médicale, la carrière militaire. Alors tous les personnages féminins d'Austen n'en finissent plus de se préoccuper de leur situation financière et n'ont en fait qu'une seule façon de s'en échapper : par le mariage. Assoiffées d'un statut social et de possessions matérielles, mais peu enclines – parce que incapables – de les acquérir, toujours à la chasse d'un riche mari, et n'ayant pourtant à offrir que la pruderie, la rigidité et la prétention – j'ai l'impression que si nous rencontrions les femmes de la classe sociale de Jane Austen aujourd'hui, avec notre sensibilité moderne, nous les trouverions franchement désagréables. Il y a ce dialogue entre deux personnages féminins du plus récent livre que je vous envoie, *Les Watson* :

> « Le fait d'être poussée au mariage, de pourchasser un homme simplement pour une affaire de statut est une chose qui me choque ; je ne peux pas la comprendre. La pauvreté est un grand mal, mais pour une femme éduquée et sensible, cela ne devrait pas être, ne saurait être le plus grand des maux. Je préférerais être maîtresse d'école (et je ne vois rien de pire) plutôt que d'épouser un homme que je n'aimerais pas. »
>
> « Je préférerais tout sauf être maîtresse dans une école », dit sa sœur.
>
> « Je suis allée à l'école, Emma, et je connais la vie qu'elles mènent, tu n'y es jamais allée. Je ne souhaiterais pas plus que toi épouser un homme désagréable, mais je ne crois pas qu'il y ait tant d'hommes de mauvais caractère. Je pense que je pourrais accepter n'importe quel homme sans malice qui aurait un revenu confortable. »

Quelle tristesse de voir l'une des professions les plus importantes du monde considérée comme pire que celle qui a été appelée pour rire la plus ancienne profession du monde. Heureusement, les choses ont changé. Aujourd'hui, la classe moyenne au Canada s'est élargie au point d'englober toutes les autres classes, ce qui fait que presque tout le monde fait partie de la classe des travailleurs, la classe qui travaille, et dont les hauts et les bas sont nommés mobilité, et le fait que les femmes puissent profiter de cette mobilité (dans une moindre mesure que les hommes – il y a encore du travail d'affranchissement à accomplir) est un triomphe de notre époque.

Mais revenons à Jane Austen : enfermée, abandonnée aux jeux de cartes, aux attentes du prochain bal et à la vigilance des bons partis, entourée de verts pâturages et de paysages vallonnés, penseriez-vous que c'est là un cadre inspirant pour la création artistique de grande qualité ?

Eh bien, dans le cas de Jane Austen, ce fut le cas. Car elle a eu la belle et grande chance de vivre au sein d'une famille aimante et intellectuellement vive, et elle a été bénie d'un sens de l'observation aigu et critique ainsi que d'une nature fondamentalement positive.

Alors malgré des limitations propres à sa classe et à son sexe, Jane Austen a su les transcender. Ses romans sont des merveilles d'esprit et de perspicacité et elle y a scruté sa société avec un réalisme tellement direct et engageant que le roman anglais s'en est trouvé définitivement transformé.

Les Watson est sûrement la moins connue des œuvres de Jane Austen. Deux raisons motivent pourtant mon choix à votre intention : le livre est court, et il est inachevé. Sa brièveté vous encouragera, je l'espère, à lire quelques-uns des romans plus longs d'Austen, *Pride and Prejudice – Orgueil et préjugé –* ou *Emma*, peut-être.

Même si l'œuvre est inachevée, si l'ébauche en a été abandonnée, on y découvre plus de perfection que dans bien des romans terminés. Austen abandonna *Les Watson* en 1805, pour cause de difficultés personnelles : la mort d'une grande amie, et tout de suite après la maladie et la mort de son propre père, qui les laissa, elle-même et sa sœur et sa mère dans des conditions fort incertaines. En fin de compte, quatre ans plus tard, son frère Édouard put procurer un cottage à ses sœurs et à sa mère, et Austen put reprendre son écriture.

Elle lâcha prise, puis elle recommença, capable de créer des romans qui marquèrent à jamais le roman anglais. Il y a en cela quelque chose d'instructif. Il y a tant de choses qu'il nous faut laisser inachevées. Comme il est difficile de lâcher prise.

Cordialement vôtre,
Yann Martel

Jane Austen (1775-1817), romancière anglaise dont les œuvres réalistes présentent des personnages féminins forts et des commentaires sociaux acerbes. Elle ne s'est jamais mariée et elle a vécu avec sa famille jusqu'à sa mort à l'âge de quarante et un ans. Plusieurs de ses romans ont été adaptés pour l'écran. Ses romans sont toujours populaires de nos jours et *Pride and Prejudice – Orgueil et préjugés* – a inspiré de nombreuses parodies.

LIVRE 12

Maus
de Art Spiegelman

À Stephen Harper,
premier ministre du Canada,
ce livre si dérangeant mais nécessaire,
d'un écrivain canadien,
avec ses meilleurs vœux,
Yann Martel

Le 17 septembre 2007

Cher Monsieur Harper,

J'en suis navré, mais vous devrez cette fois-ci supporter une lettre manuscrite de ma vilaine écriture. Je n'ai pas réussi à trouver une imprimante à Oświęcim, la petite ville polonaise où je me trouve présentement.

Oświęcim est mieux connue sous son nom allemand : Auschwitz. Y êtes-vous jamais venu ?

Je suis ici, essayant de terminer mon prochain livre. Ce qui se trouve aussi à expliquer le choix de l'œuvre que je vous envoie : le roman illustré intitulé *Maus*, de Art Spiegelman. Ne vous laissez pas distraire par les apparences. Ce livre de bandes dessinées est de la vraie littérature.

Certaines histoires ont besoin d'être racontées de nombreuses façons afin de pouvoir encore exister de manières diverses pour de nouvelles générations. L'histoire de l'assassinat de près de six millions de membres du peuple juif d'Europe, aux mains des Nazis et de leurs complices criminels, est justement le type d'histoire qui a besoin d'être renouvelée si nous ne voulons pas qu'une partie de nous-mêmes s'endorme, comme les petits-enfants qui somnolent en entendant une fois de trop de la bouche de leur grand-père une histoire d'antan.

Je sais que je vous avais dit que je vous enverrais des livres qui feraient croître votre « quiétude ». Mais un sentiment de paix, de concentration calme, de ce que les bouddhistes appellent « le détachement passionné » ne doit pas tomber dans l'autosatisfaction ou la complaisance. Alors être perturbé – et Auschwitz est profondément perturbant – peut offrir une bonne manière de raviver sa quiétude.

Maus est un chef-d'œuvre. Spiegelman raconte son histoire ou, plus précisément, l'histoire de ses père et mère, d'une manière forte et radicale. Ce n'est pas seulement qu'il sache pousser l'expression graphique, peut-être parfois perçue par certains comme un médium destiné seulement aux enfants, à des sommets artistiques insoupçonnés en attaquant un sujet aussi important que le génocide exterminateur. C'est plus que ça. C'est sa manière de raconter l'histoire. Vous verrez. L'agilité narrative et l'aisance de l'écriture. Et à quel point le dessin a une voix *puissante*. Il y a quelques illustrations qui, même petites, et en noir et blanc, ont un impact qu'on ne croirait possible que dans le cas de grands tableaux ou de grands plans tirés d'un film.

Et je n'ai même pas mentionné le principal outil, qui explique le titre du livre : tous les personnages ont la tête d'un animal ou d'un autre. Les juifs ont la tête de souris, les Allemands celles de chats, les Polonais, de porcs, les Américains, de chiens, et ainsi de suite.

C'est brillant. Cela vous saisit, cela vous déchire. À partir de là, il nous faut chercher péniblement à retrouver le chemin qui nous ramène à ce que cela veut dire être humain.

Cordialement vôtre,
Yann Martel

Art Spiegelman (né en 1948) auteur de bandes dessinées né en Suède ; il a fait partie du mouvement underground des bandes dessinées dans les années soixante et soixante-dix, participant à de nombreuses publications et à la création d'*Arcade* et de *Raw*. Il a été également contribué à la création du « bonbon poubelle » (« *garbage candy* ») et des cartes échangeables Garbage Pail Kids. Nommé par le magazine *Time* l'une des « Cent personnes les plus influentes » en 2005, il a gagné de nombreux prix pour ses œuvres, dont le prix Pulitzer en 1992, pour *Maus* et sa suite *Maus II*. Il continue de publier de nouvelles œuvres et de promouvoir le medium de la bande dessinée ; en 2004 il a publié un grand livre d'images, *In the Shadow of No Towers – À l'ombre de pas de tours –*, au sujet des attaques terroristes du 11 septembre 2001 à New York.

LIVRE 13

Ne tirez pas sur l'oiseau moqueur
de Harper Lee

À Stephen Harper,
premier ministre du Canada,
d'un écrivain canadien,
avec ses meilleurs vœux,
Yann Martel

Le 1ᵉʳ octobre 2007

Cher Monsieur Harper,

Lors d'une entrevue qu'elle a accordée il y a quelques années, Mavis Gallant a mentionné une opération qu'elle avait subie. Au réveil d'une anesthésie générale, elle s'est trouvée dans un état de confusion mentale. Pendant plusieurs minutes, les détails de son identité et de sa vie lui ont échappé, son nom, son âge, ce qu'elle faisait, là où elle était et sa raison d'y être. Une amnésie complète, sauf pour deux choses : elle savait qu'elle était une femme et elle savait qu'elle pensait en anglais. Inextricablement liées aux premières lueurs de sa conscience se trouvaient ces deux caractéristiques identitaires : sexe et langage.

Cela indique bien jusqu'à quelle profondeur va le langage en nous. Il fait partie intégrante de notre système biologique. Nos poumons ont besoin de l'air pour lequel ils sont faits ; notre bouche et notre estomac ont besoin de nourriture et sont constitués en conséquence ; nos oreilles et notre nez peuvent entendre et sentir et voilà qu'il y a des choses à entendre et à sentir. Il en va ainsi de l'esprit : il a besoin du langage et il est fait pour lui, et voilà qu'il y a des choses à dire et à comprendre.

Je ne suis le champion d'aucune langue en particulier. Chaque langue, depuis l'afrikaans jusqu'au zoulou, fait ce qu'elle doit : tracer la carte de l'univers grâce à des sons qui fort à propos identifient les objets et les concepts. Si on lui donne le temps, toute langue vivante parlée par un nombre suffisant de personnes finira par donner à chaque nouvel objet, à chaque nouveau concept un mot qui lui corresponde. Vous aurez entendu parler de l'idée que les Inuits sont censés avoir vingt-six mots pour désigner la neige, tandis que nous, en anglais, nous n'avons que « *snow* ». Eh bien, c'est une absurdité. Demandez à n'importe quel skieur passionné et de langue anglaise, et il ou elle vous décrira en vingt-six mots ou combinaisons de mots la qualité de la neige de ce jour-là.

Tout comme il y a plusieurs cuisines dans le monde, plusieurs modes vestimentaires et plusieurs compréhensions du divin, chacune d'entre elles pouvant satisfaire l'estomac, couvrir le corps élégamment ou maintenir le lien de l'âme avec l'éternel, il y a de nombreux types de sons par lesquels nous pouvons nous faire comprendre. Chaque langue a sa propre sonorité, son rythme, son vocabulaire spécialisé, et ainsi de suite, mais tout finit par s'équilibrer. Chacun d'entre nous peut être totalement humain dans n'importe quelle langue.

Comme vous êtes de langue maternelle anglaise, permettez-moi dans cette lettre de me faire l'avocat de l'anglais en guise d'introduction à ce plus récent des livres que je vous envoie deux fois par mois. La langue anglaise est celle qui possède, de loin, le vocabulaire le plus vaste au monde, bien au-delà de six cent mille mots. Le français, en comparaison, en a, paraît-il, trois cent cinquante mille et l'italien, deux cent cinquante mille. Mais je m'empresse de dire, avant que les gens de ma province d'origine et mes amis de langue italienne ne me sautent à la gorge, que ce luxe de vocabulaire est en bonne partie sans importance. Tout juste sept mille mots représentent quatre-vingt-dix pour cent du vocabulaire de base de l'anglophone moyen.

Et n'oublions pas que les volubiles Italiens n'ont pas hésité à lancer – et avec un grand plaisir – leur *Renascimento* avec leur nombre plus restreint de mots, alors que les Britanniques, toujours réservés, restaient assis dans l'obscurité de leur île humide, passant les longues heures de leurs longues pluies à se demander s'ils devaient adopter le mot italien pour décrire cette explosion d'optimisme et de soleil, ou bien la nommer *Rebirth* ou *Renaissance*.

Qu'une parlure rustre employée sur une île – une véritable langue insulaire – en soit venue à recouvrir toute la planète peut s'expliquer en deux mots : *invasions*, et contre-invasions, c'est-à-dire, *colonialisme*. La langue germanique des Anglo-Saxons a été infiniment enrichie par un grand nombre d'invasions. En termes linguistiques, la christianisation de la Grande-Bretagne a été une première tête de pont, l'invasion normande de 1066 a été un déluge et la Renaissance a été un épanouissement. Après cela, les Anglais, doués de l'arme verbale, se sont appliqués à conquérir le monde, un grand pillage qui les a rendus riches non seulement de l'or des autres, mais aussi des mots des autres.

L'Anglais est une macédoine de multiples ingrédients. On peut y trouver des mots qui ont leur origine en arabe, en breton, en tchèque, en danois, en finnois, en gaélique, en hindi, en inuit, en japonais, en latin, en malais, en norvégien, en polonais, en russe, en espagnol, en turc, en gallois, pour ne mentionner que quelques langues. Et je ne parle ici que de vocabulaire. L'usage de l'anglais – la façon qu'ont les gens de le parler – est aussi extraordinairement varié.

Et voilà la raison de mon présent d'aujourd'hui : *Ne tirez pas sur l'oiseau moqueur*, de Harper Lee. C'est un classique moderne, une formidable histoire qui vous fera aimer les avocats, mais c'est pour l'usage de la langue que je l'ai choisi. L'anglais rural de l'Alabama dans les années cinquante, tel que parlé par des enfants, est vraiment quelque chose. Et pourtant, c'est de l'anglais, vous allez donc le comprendre sans problème. C'est là le rare privilège de ceux qui parlent anglais : en lisant un livre non traduit venu de tous les continents, ils peuvent se sentir à la fois à la maison et à l'étranger.

Bonne lecture !

Cordialement vôtre,
Yann Martel

Harper Lee (née en 1926) écrivaine américaine bien connue pour son roman *Ne tirez pas sur l'oiseau moqueur*. Ce roman, encore à ce jour souvent enseigné dans les écoles, a été adapté au cinéma dans un film primé aux oscars, mettant en vedette Gregory Peck dans le rôle d'Atticus Finch. Le roman inclut de nombreux aspects autobiographiques, et le personnage de Dill est basé sur un ami de toujours, Truman Capote. Après avoir publié son livre avec un succès énorme et soutenu, Lee s'est retirée de la vie publique. Jusqu'ici, *Ne tirez pas sur l'oiseau moqueur* est la seule œuvre qu'elle ait publiée, à part des articles pour des magazines.

LIVRE 14

Le Petit Prince
d'Antoine de Saint-Exupéry

À Stephen Harper,
premier ministre du Canada,
ce livre en français,
d'un écrivain canadien,
avec ses meilleurs vœux,
Yann Martel

Le 15 octobre 2007

Cher Monsieur Harper,

Vous parlez le français. Vous avez fait de grands et fructueux efforts pour apprendre et parler cette langue depuis que vous êtes premier ministre. Vous espérez ainsi apprivoiser les Québécois.

Par ailleurs, la dernière fois, je vous ai beaucoup entretenu de l'anglais. Alors cette fois-ci, je vous envoie un livre en français. Il est très connu. C'est Le *Petit Prince*, de l'écrivain français Antoine de Saint-Exupéry. Vous l'avez peut-être lu au cours de vos études, mais il saura vous être encore assurément très utile, non seulement pour améliorer votre français, mais aussi pour vous aider auprès des Québécois, puisque Le *Petit Prince*, c'est aussi l'histoire d'un apprivoisement, dans ce cas-ci, d'un renard.

Le renard fait cadeau d'une très importante leçon au Petit Prince, mais je ne vais pas la répéter. Je vous laisse la redécouvrir.

Le vocabulaire est simple, les scènes, claires à comprendre, la morale, évidente et attachante. C'est en fait un conte chrétien.

Vous allez soupirer : « Si seulement les Québécois étaient aussi faciles à apprivoiser que les renards. »

Mais nous sommes plutôt, nous Québécois, comme la fleur du Petit Prince, avec notre orgueil et nos quatre épines.

Cordialement vôtre,
Yann Martel

Antoine de Saint-Exupéry (1900-1944), romancier et artiste français. Son court roman philosophique illustré, *Le Petit Prince*, est tellement apprécié que le dessin du personnage principal créé par l'auteur a illustré le billet de 50 francs français jusqu'à l'introduction de l'euro. Saint-Exupéry était aviateur et la plupart de ses œuvres, dont *Vol de nuit* et *Terre des hommes*, sont tirées de son expérience en tant que pilote dans l'aéropostale pendant plusieurs années. Au cours de la Deuxième Guerre mondiale, il a effectué des vols de reconnaissance pour les Alliés. C'est lors de l'un de ces vols qu'il a disparu et qu'on a présumé son décès.

Livre 15

Les oranges ne sont pas les seuls fruits
de Jeanette Winterson

À Stephen Harper,
d'une écrivaine anglaise
avec ses meilleurs vœux
Jeanette Winterson
(envoyé par un écrivain canadien, Yann Martel)

Le 29 octobre 2007

Cher Monsieur Harper,

Si on lit des livres, on est meilleurs que les chats. On dit que les chats ont neuf vies. C'est bien peu en comparaison avec la fille, le garçon, l'homme ou la femme qui lit des livres. Lire un livre, c'est vivre une vie de plus. Ça ne prend donc que neuf livres pour que les chats nous regardent avec envie.

Et je ne parle pas seulement des « bons » livres. N'importe quel livre – de la camelote au chef-d'œuvre – nous permet de vivre la vie de quelqu'un d'autre, nous insuffle la sagesse ou la folie de son époque. Quand on a lu la dernière page d'un livre, on en sait davantage, soit sous la forme de connaissance précise – le nom d'un fusil, par exemple –, soit dans le sens d'une meilleure compréhension. La valeur de ces vies acquises par procuration ne doit pas être sous-estimée. Rien n'est plus triste – ou parfois même dangereux – qu'une personne qui a restreint sa vie à la sienne propre, devenue ainsi étriquée parce qu'elle n'a pas été éclairée par l'expérience, fictive ou réelle, des autres.

Le livre que je vous envoie aujourd'hui est l'exemple parfait de l'histoire qui vous offre une autre vie. C'est un *Bildungsroman* (de l'allemand, littéralement un « roman d'éducation »), un roman qui retrace le développement moral de son personnage principal. Raconté à la première personne, on peut facilement se glisser dans la peau, voir avec les yeux de la personne qui parle. *Les oranges ne sont pas les seuls fruits*, de Jeanette Winterson, est une œuvre brève, cent soixante-dix pages, mais au long de ces pages on devient « Jeanette », le personnage principal. Jeanette est une jeune femme qui vit dans l'Angleterre provinciale d'il y a quelques décennies. Sa mère adore follement le Seigneur, et Jeanette aussi. Mais le problème, là où cela en devient un, c'est que Jeanette adore follement les femmes aussi. Et ces deux amours – aimer le Seigneur et aimer les femmes quand on est soi-même une femme – ne sont pas compatibles, en tout cas d'après certains de ceux qui aiment le Seigneur et décident de porter des jugements en Son nom.

Écrit dans une prose étincelante, *Oranges* est le conte triste, drôle, tendre d'une jeune femme qui doit se briser en deux et puis décider laquelle de ces deux parties elle veut devenir. Et cela, devoir faire des choix déchirants, devoir choisir entre des amours et des vies en compétition, devoir se perdre soi-même pour mieux se retrouver, tout cela est très instructif – en plus d'être très divertissant –, non seulement pour des adolescentes lesbiennes du Lancashire, mais aussi pour moi, pour vous, pour chacun de ceux ou celles qui veulent tirer le maximum de la vie.

Voici donc ci-joint un quinzième livre, une quinzième vie.

Cordialement vôtre,
Yann Martel

P.-S. Notez la dédicace. Un livre autographié par l'auteure elle-même. J'ai eu la bonne fortune de rencontrer Jeanette Winterson en Angleterre récemment et elle a gentiment accepté de vous dédicacer son livre.

Jeanette Winterson (née en 1959) écrivaine et journaliste britannique. Elle a connu une gloire instantanée grâce à son premier roman *Les oranges ne sont pas les seuls fruits*, qui lui a valu en 1985 le prix Whitbread pour un premier roman. Depuis lors, ses romans ont continué de repousser les frontières des genres, de l'identité sexuelle et de l'imagination. Sa contribution soutenue à la littérature britannique lui a mérité l'Ordre de l'Empire britannique. En plus d'écrire, elle dirige une épicerie fine, Verdes, à Londres.

Lettres à un jeune poète
de Rainer Maria Rilke

À Stephen Harper,
premier ministre du Canada,
ces leçons d'un écrivain sage et généreux,
d'un écrivain canadien,
avec ses meilleurs vœux,
Yann Martel

Le 12 novembre 2007

Cher Monsieur Harper,

Les *Lettres à un jeune poète*, de Rainer Maria Rilke, le seizième livre que je vous envoie, est un filon très riche. Ces dix lettres, écrites entre 1903 et 1908 par le grand poète allemand à un jeune poète nommé Franz Xaver Kappus, pourraient être considérées comme précurseurs des cours de création littéraire. Elles sont utiles à tous ceux parmi nous qui aspirons à écrire. Elles m'ont aidé, et je ne doute pas qu'elles vous aideront à écrire votre livre sur le hockey.

Dans la première lettre, par exemple, Rilke demande au jeune poète de se poser la question vitale : « Est-ce que je *dois* écrire ? » Si cette incontournable nécessité intime n'existe pas, eh bien on ne devrait même pas essayer d'écrire, selon Rilke. Et il fait grand cas du besoin de solitude, de ce filtrage tranquille des impressions d'où vient une écriture de qualité, vraie et qui arrive seulement quand on est seul.

Mais si les lettres de Rilke n'étaient que des suggestions techniques sur l'écriture artistique, je ne pense pas que je vous les aurais envoyées. Quel intérêt y a-t-il à l'égard d'un traité spécialisé dans un certain domaine pour quelqu'un qui ne s'y adonne pas ? Mais ces lettres sont bien plus que cela, parce que ce qui s'applique au monde de l'art s'applique aussi à la vie. Ce qui éclaire l'un illumine l'autre. Alors la connaissance de soi – est-ce que je *dois* écrire ? – est utile non seulement pour écrire, mais aussi pour vivre. Et la solitude porte ses fruits non seulement pour celui qui veut écrire de la poésie, mais aussi pour celui qui aspire à quoi que ce soit. Alors que, à contrario, il me semble rare qu'un avis propre au commerce puisse s'appliquer dans un autre champ que le commerce. Notre plus profonde façon d'examiner la vie, d'atteindre le cœur de notre existence, passe par l'art. Au mieux, cet examen tient quasi du religieux.

Voyez cet extrait vers la fin de la Quatrième lettre, où Rilke suggère au jeune poète de s'envelopper de solitude :

« Aussi, cher Monsieur, aimez votre solitude, supportez-en la peine : et que la plainte qui vous en vient soit belle. Vous dites que vos proches vous sont lointains ; c'est qu'il se fait un espace autour de vous. Si tout ce qui est proche vous semble loin, c'est que cet espace touche les étoiles, qu'il est déjà très étendu. Réjouissez-vous de votre marche en avant ; personne ne peut vous y suivre. Soyez bon envers ceux qui restent en arrière, sûr de vous et tranquille en face d'eux. Ne les tourmentez pas avec vos doutes. Ne les effrayez pas par votre foi, par votre enthousiasme : ils ne pourraient comprendre. Cherchez à communier avec eux dans le simple et dans le fidèle : cette communion ne doit pas nécessairement subir les mêmes transformations que vous. Aimez en eux la vie sous une forme étrangère. Ayez de l'indulgence pour ceux à qui l'âge fait redouter cette solitude à laquelle vous vous abandonnez. Évitez de nourrir le drame toujours pendant entre parents et enfants ; il use tant la force des enfants, et il épuise cet amour des vieux qui n'a pas besoin de comprendre pour agir et pour réchauffer. Ne leur demandez pas conseil. Renoncez à être compris d'eux. Croyez seulement en un amour, qui vous est gardé comme un bien d'héritage. Soyez certain qu'il y a dans cet amour une force, une bénédiction… »

Cela ne ressemble-t-il pas à un passage de ce que l'apôtre Paul aurait pu écrire dans l'une de ses épîtres aux Corinthiens ?

Les lettres de Rilke débordent de compréhension, de générosité et de judicieuses recommandations. Elles brillent de leur tendresse aimante. Ce n'est pas étonnant que Franz Xaver Kappus ait voulu si ardemment les transmettre à la postérité.

Cordialement vôtre,
Yann Martel

Rainer Maria Rilke (1875-1926) poète et auteur de prose lyrique. Il est né à Prague et a étudié en Allemagne. Ses œuvres ont été grandement influencées par ses études en philosophie et sa connaissance de la littérature classique ; ses principaux thèmes sont la solitude et l'angoisse. Parmi ses œuvres les plus connues on compte les *Sonnets à Orphée*, les *Élégies de Duino*, les *Lettres à un jeune poète* et *Les cahiers de Malte Laurids Brigge*. Ardent voyageur, ses voyages en France, en Suède et en Russie, et les relations qu'il y a tissées, ont marqué son œuvre. Il est mort de leucémie.

Livre 17

The Island Means Minago
de Milton Acorn

À Stephen Harper,
premier ministre du Canada,
un livre d'un révolutionnaire insulaire,
d'un écrivain canadien,
avec ses meilleurs vœux,
Yann Martel

Le 26 novembre 2007

Cher Monsieur Harper,

J'avais appris en grandissant le titre qu'on donnait familièrement à Milton Acorn : le Poète du Peuple. Je tenais pour acquis que c'était parce que sa poésie était terre à terre, que sa langue était claire, que son sens venait des profondeurs accessibles de l'expérience commune. Ce que je n'ai pas réalisé jusqu'à beaucoup plus tard, c'était que le Poète du Peuple possédait également un côté politique mordant. Cette dernière qualité est parfaitement claire dans le livre qui accompagne cette lettre, *The Island Means Minago*, une collection diversifiée de poèmes, d'essais personnels et de courtes pièces. Aux dernières pages du livre, vous trouverez de l'information sur l'éditeur de cet ouvrage :

NC Press est l'éditeur canadien de la Libération. C'est véritablement une maison d'édition du peuple, distribuant des livres sur la lutte pour l'indépendance nationale et le socialisme au Canada et à travers le monde.

À la page suivante, vers le bas, il y a aussi le renseignement suivant :

NC Press est le principal distributeur canadien de livres, de périodiques et de disques de la République Populaire de Chine.

On donne aussi l'adresse de l'organisme derrière NC Press et son journal, *New Canada* :

Mouvement de libération du Canada
Boîte Postale 41, Succursale E, Toronto 4, Ontario

Est-ce qu'un Canada révolutionnaire a jamais été une véritable possibilité ? Eh bien, il y avait là-bas des gens, en 1975, qui le croyaient. Depuis lors, j'imagine que le Mouvement de libération du Canada a disparu, au moins formellement sous ce nom, ou que s'il existe encore, ce casier postal numéro 41 est un judas qui donne sur un endroit bien solitaire.

Mais toute révolution qui utilise la poésie en guise d'arme a au moins une chose qui la favorise : savoir que l'expression artistique est au cœur de l'identité d'un peuple et de ses usages et traditions. Je me demande si l'Institut Fraser a jamais songé à publier de la poésie pour tenter de convaincre, et s'il ne l'a pas fait, pourquoi pas ?

Il est probable que le portrait que Milton Acorn trace de l'Île-du-Prince-Édouard, sa province d'origine, ne vous sera pas familier, pas plus que son interprétation de l'histoire canadienne. Que cela vous rappelle que le passé est une chose, mais que ce que nous en faisons, les conclusions que nous en tirons, en sont une autre. L'histoire peut être bien des choses, selon la manière qu'on a de la lire, tout comme l'avenir peut être bien des choses, selon notre façon de le vivre. Il n'y a rien d'inévitable dans les événements historiques, il n'y a que ce que les individus laissent survenir. Et c'est en rêvant d'abord que nous parvenons à de nouvelles réalités. De là notre besoin de poètes.

Milton Acorn était donc, par nécessité puisqu'il était poète, un rêveur (un coriace, je le reconnais). Il rêvait d'un Canada qui serait meilleur, plus juste, plus libre. Il ne pouvait supporter ce qu'il percevait comme les servitudes du capitalisme et du colonialisme économique américains qui nous retenaient. Il était un révolutionnaire insulaire. On pourrait être porté à sourire tant les rêves de certaines personnes sont des illusions. Mais il est bien mieux de rêver que de se contenter d'endurer. Mieux vaut s'affirmer que se laisser tout prescrire. Mieux vaut imaginer diverses réalités et lutter pour celle qui semble la meilleure plutôt que de hausser les épaules et de se replier sur soi-même.

The Island Means Minago offre l'exemple d'une autre chose qu'un livre peut être : une capsule-témoin, un instantané, une vitrine de vieux rêves dans un musée – c'est-à-dire le rappel d'un futur qui ne s'est jamais réalisé (mais qui vaut peut-être encore la peine d'être un rêve).

Je donne l'impression que *Minago* – c'est le nom que les Mi'gmaq ont donné à l'Île-du-Prince-Édouard – n'est rien d'autre qu'un tract politique, ce qu'il n'est pas. C'est un recueil de poésie, un cri beaucoup plus riche qu'un tract. Je vais donc terminer cette lettre de la manière appropriée, avec un poème d'Acorn :

Boum, boum, boum petit cœur
Boum, boum, boum petit cœur
pendant ce voyage
nous avons fait route commune,
tandis que tu canalisais tout le carburant.
Tu es de la grosseur d'un poing, et comme un poing
tu te fermes et tu t'ouvres,
te fermes et t'ouvres
en maintenant droite cette tête
pour qu'elle boxe son chemin
au travers des remparts du jour.

Cordialement vôtre,
Yann Martel

Milton Acorn (1923-1986), connu comme « le poète du peuple », a eu une influence fondamentale sur la littérature canadienne. Né à Charlottetown, il a passé l'essentiel de sa vie à voyager et à séjourner dans les milieux littéraires en pleine expansion de Montréal, Toronto et Vancouver. Il a travaillé avec de nombreux écrivains canadiens renommés dont Irving Layton, bill bissett, Al Purdy, Dorothy Livesay et Margaret Atwood. Acorn dirigeait des ateliers de création littéraire en poésie et il a fondé la revue *The Georgia Strait*. Il a été récipiendaire du Canadian Poet's Award et du Prix de poésie du Gouverneur général pour *The Island Means Minago*. Parmi ses autres œuvres célèbres, on compte *Dig Up My Heart* et *Jawbreakers*.

La métamorphose
de Franz Kafka

À Stephen Harper,
premier ministre du Canada,
un récit édifiant, d'une certaine manière,
d'un écrivain canadien,
avec ses meilleurs vœux,
Yann Martel

Le 10 décembre 2007

Cher Monsieur Harper,

Le livre qui est joint à cette lettre est l'une des grandes icônes littéraires du xxᵉ siècle. Si vous ne l'avez pas déjà lu, vous en avez sûrement entendu parler. L'histoire qu'il raconte – celle d'un représentant de commerce anxieux et consciencieux qui un matin s'éveille transformé en un gros insecte – est tout à fait fascinante et par là divertissante. Les considérations pratiques qu'impose une telle transformation – la nouvelle diète, la nouvelle dynamique à l'intérieur de la famille, l'improbabilité de trouver un emploi, et tout le reste – sont toutes poursuivies jusqu'à leur aboutissement logique. Mais le fait que Gregor Samsa, le représentant de commerce en question, continue d'être dans son cœur la même personne, d'être habité de la même âme, toujours sensible à la musique, par exemple, est aussi clairement défini. Et quant à tout ce que cette allégorie veut dire, cette idée de s'éveiller insecte, c'est au lecteur d'en décider.

Franz Kafka publia *La métamorphose* en 1915. Ce fut l'une de ses rares œuvres à paraître de son vivant, car il était déchiré par l'incertitude au sujet de son écriture. Au moment de mourir de tuberculose en 1924, il demanda à son ami et exécuteur littéraire, Max Brod, de détruire tous ses écrits non publiés. Brod ignora cette volonté et fit le contraire : il les publia tous. Trois romans inachevés furent édités : *Le procès*, *Le château* et *L'Amérique*, mais à mon avis ses nombreuses nouvelles sont meilleures, et non seulement parce qu'elles avaient été achevées.

La vie de Kafka et plus tard son œuvre ont été marquées par un personnage, celui de son père dominateur. Homme vulgaire qui n'accordait de valeur qu'au succès matériel, il trouvait incompréhensibles les penchants littéraires de son fils. Kafka tenta d'obéir et d'entrer dans le moule auquel son père voulait le réduire. Il travailla presque toute sa vie, et non sans un certain succès professionnel, à l'Institut d'Assurance des accidents du travail du Royaume de Bohème (est-ce que ça ne donne pas l'impression de venir, justement, eh bien, de Kafka ?). Mais travailler toute la journée pour vivre, puis plancher le soir sur son écriture pour se sentir vivant, l'épuisait et lui coûta finalement la vie. Il avait à peine quarante ans quand il mourut.

Kafka introduisit dans notre époque un sentiment qui ne nous a pas encore quittés : l'angoisse existentielle. Jusqu'alors, la misère était matérielle, elle se faisait ressentir dans le corps. Pensez à Dickens et à la misère des pauvres qu'il décrivait ; le succès matériel était la voie pour s'en sortir. Mais chez Kafka, c'est de la misère de l'esprit dont il s'agit, un effroi qui vient de l'intérieur de soi et qui ne part pas, même si on a un emploi. L'aspect dysfonctionnel du XXe siècle, l'effroi qui vient du travail bêtifiant, des règlements constants, pénibles, mesquins, l'effroi qui surgit de la grisaille de l'existence capitaliste urbaine, où chacun d'entre nous n'est rien d'autre qu'un simple rouage de la machine, c'est ce que Kafka a révélé. En avons-nous fini avec ces préoccupations ? Sommes-nous sortis de notre anxiété, de notre isolation, de notre aliénation ? Hélas, je crois que non. Kafka nous parle toujours.

Kafka mourut sept mois après l'apparition publique d'Adolf Hitler – le putsch échoué « de la brasserie » à Munich, où le vilain petit caporal autrichien essaya prématurément de prendre le pouvoir, eut lieu en novembre 1923 – et ce chevauchement a quelque chose de prophétique, comme si ce que Kafka ressentait, Hitler le mettait en œuvre. Le chevauchement est encore plus triste : les trois sœurs de Kafka moururent dans les camps de concentration nazis.

La métamorphose offre une captivante et sombre lecture. Sa prémisse peut sembler un trait d'humour noir, mais l'histoire dans sa totalité efface tout sourire possible. L'une des manières de lire *La métamorphose* serait de la traiter comme un avertissement. Une telle aliénation entre ses pages fait qu'on aspire à l'authenticité en échange.

Noël approche. Je vais voir si le prochain livre que je vous enverrai ne pourrait pas être un peu plus joyeux pour s'assortir à la saison des fêtes.

Cordialement vôtre,
Yann Martel

Franz Kafka (1883-1924), né à Prague, en Bohème (maintenant partie de la République tchèque), il est considéré comme l'un des auteurs les plus influents du XXᵉ siècle. L'essentiel de son œuvre est dérangeant, traitant de situations cauchemardesques et de thèmes sombres dont l'aliénation, la déshumanisation et le totalitarisme, une veine littéraire maintenant appelée « kafkaïenne ». Il est surtout connu pour son court roman *La métamorphose* ainsi que pour ses romans *Le procès* et *Le château*, tous les deux publiés après sa mort. Il détenait un doctorat en droit et écrivait dans ses temps libres ; il passa la plus large part de sa vie active à l'emploi d'une compagnie d'assurances.

Les frères Cœur-de-Lion
d'Astrid Lindgren

Imagine un jour
de Sarah L. Thompson et Rob Gonsalves

Les mystères de Harris Burdick
de Chris Van Allsburg

À Stephen Harper,
premier ministre du Canada,
trois livres pour vous faire rêver, vous et votre famille,
d'un écrivain canadien,
avec ses meilleurs vœux,
Yann Martel
P.-S. *Joyeux Noël*

Le 24 décembre 2007

Cher Monsieur Harper,

C'est demain Noël, et nous vivons dans un pays dont la première liberté fondamentale mentionnée dans la Charte des droits est la liberté de conscience et de religion. C'est le temps des célébrations. Mais il est étonnant de constater à quel point, malgré l'immense liberté fondée en droit dont nous jouissons, nous, Canadiens et Canadiennes, nous exprimons de façon étriquée dans le domaine religieux. Alors nos « Joyeux Noël ! » sont rapidement en train de disparaître du langage commun, remplacés par des formules du genre « Bonnes Fêtes » ou « Meilleurs Vœux » que l'on considère juste assez générales ; et au passage, en anglais, le sens original et religieux de l'expression « *holiday* » – *holy day* – est comme par hasard oublié.

Et pourtant, dire « Joyeux Noël » n'est rien d'autre que d'offrir sa bénédiction. Est-ce que c'est offensant ? Est-ce que vous ou moi serions offensés, sérieusement offensés, si quelqu'un nous lançait « Joyeux Diwali ! » ou « Joyeux Hanukkah ! » ou « Joyeux Eid ! » en accompagnant les mots d'un sourire et d'un salut de la main ? Ne serions-nous pas plutôt reconnaissants des bonnes intentions de notre interlocuteur, même si nous ne sommes pas hindous, juifs ou musulmans ? De la même façon, quand nous offrons en cadeau un « Joyeux Noël » à un étranger – et comme il est bon d'établir un contact avec des étrangers –, notre intention n'est-elle pas chaleureuse ? On pourrait dire que notre estomac spirituel est rassasié et que nous offrons une nourriture bénie à autrui. Si cette personne devait nous répondre « Merci ! Que votre Enfant soit béni, mon Prophète en pensait le plus grand bien », nous ne serions pas offensés que son estomac aussi soit rassasié. En fait, nous serions heureux pour lui ou elle. Mieux vaut l'abondance que la disette, non ?

J'adore le fait qu'un groupe religieux s'arrête de travailler, de faire de l'argent, afin de célébrer la naissance d'un enfant. Il me semble que nous oublions trop les bébés. Nous avons une tendance à négliger la pensée magique.

La plupart de nos compatriotes interprètent leur liberté de religion comme une liberté de n'en pratiquer aucune et ils font face à la vie avec de grandes questions et de grands mythes venus d'ailleurs. Très bien. Que chacun, que chacune suive son propre chemin.

Mais demain, c'est Noël, je le répète, et de toute évidence vous êtes chrétien, vous avez donc tout à fait le droit de dire « Joyeux Noël », même si vous êtes beaucoup plus discret quant à votre chrétienté que ne l'était votre prédécesseur à la tête de votre parti, l'Honorable Stockwell Day. Son utilisation généreuse de sa liberté constitutionnelle de religion laissait les gens mal à l'aise. Vous avez plus de retenue, vous êtes plus astucieux. Vous semblez être un chrétien dans le placard, parlant peu ou échangeant peu au sujet de Jésus de Nazareth,

Quand même, c'est demain Noël et il y a un Bébé à célébrer.

Alors dans l'esprit de cette occasion, je ne vous offre pas cette fois-ci un livre, mais plutôt trois, et ce sont des livres qu'on ne lit pas seul, comme un adulte, mais qu'on partage avec des enfants.

Les mystères de Harris Burdick, de Chris Van Allsburg, et *Imagine un jour*, écrit par Sarah L. Thomson, avec des illustrations de Rob Gonsalves, sont des œuvres illustrées à la magie contagieuse. Vous les regarderez et à chaque page vous serez émerveillé. *Les frères Cœur-de-Lion* (veuillez excuser l'affreuse couverture – c'est la seule édition que j'aie pu trouver) d'Astrid Lindgren, auteure de la fameuse série *Fifi Brindacier*, est un roman pour enfants qui compte moins d'illustrations, et qui est en noir et blanc, mais il est tout aussi magique. J'espère que toute votre famille, et vous-même, tirerez plaisir de chacun de ces trois livres.

Joyeux Noël, Monsieur Harper. Puisse votre cœur être la crèche où repose l'Enfant nouveau-né.

Cordialement vôtre,
Yann Martel

Astrid Lindgren (1907-2002), auteure suédoise mieux connue pour sa contribution à la littérature pour enfants, tout particulièrement ses charmantes séries *Pippi Longstocking* et *Karlsson-on-the-Roof*. Ses histoires ont été traduites dans des douzaines de langues et on les lit partout à travers le monde. Au cours de sa vie, elle a reçu le prix Hans Christian Andersen et le Right Livelihood Award. Après sa mort, le gouvernement suédois a créé un prix en son honneur pour rendre hommage aux réalisations exceptionnelles dans la littérature pour les enfants et la jeunesse.

Sarah L. Thomson a été auparavant éditrice senior dans la section des livres pour enfants chez Harper Collins. Après la publication de son premier livre, *The Dragon's Son – Le fils du dragon –*, elle a démissionné de ses responsabilités éditoriales afin de se consacrer entièrement à l'écriture. À ce jour, elle a écrit vingt histoires pour enfants et remporté de nombreuses récompenses, dont le Oppenheim Toy Portfolio Gold Seal Award de 2005 pour *Amazing Tigers ! – Étonnants tigres ! –* et le prix Bank Street College of Education Best Book of the Year pour *Amazing Gorillas ! – Étonnants gorilles !*

Rob Gonsalves, né en 1959, peintre canadien au style décrit à la fois comme surréaliste et réaliste magique. Une caractéristique de son art est l'illusion d'optique fantastique finement détaillée qui transforme l'ordinaire en extraordinaire. Il a travaillé en tant qu'architecte, muraliste et peintre de théâtre, toutes expériences qui apparaissent dans ses tableaux d'immeubles et de paysages. Même s'il n'est pas principalement un illustrateur d'œuvres pour enfants, il a participé aux livres *Imagine a Day*, *Imagine a Night* et *Imagine a Place*.

Chris Van Allsburg, né en 1949 au Michigan, il a fait des études de droit à l'université du Michigan puis aux Beaux-Arts. Il a obtenu un diplôme en sculpture de la Rhode Island School of Design. En 1979, il a fait paraître *Le jardin d'Abdul Gasazi*, son premier livre pour enfants. Depuis, il est devenu l'un des grands illustrateurs de son époque aux États-Unis, publiant notamment *Jumanji* et *The Polar Express* et a reçu, à deux reprises, la Caldecott Medal, distinction la plus importante pour le livre jeunesse aux États-Unis. Sculpteur et peintre, il a exposé au MOMA et au Whitney Museum.

LIVRE 20

Pouvoirs de l'imagination
de Northrop Frye

À Stephen Harper,
premier ministre du Canada,
un livre qui défend l'essentiel,
d'un écrivain canadien,
avec ses meilleurs vœux,
Yann Martel

Le 7 janvier 2008

Cher Monsieur Harper,

J'espère que votre famille et vous avez passé un beau Noël et que vous revenez au travail avec un esprit et un cœur revigorés. Mon impression est que nous allons être très occupés, vous et moi, en 2008. J'ai un livre à terminer et vous avez un gouvernement à diriger. Nous espérons bien recevoir de bonnes critiques pour notre travail respectif.

J'ai séjourné à Moncton à la fin de novembre dernier, afin de participer à une série d'événements organisés par le Festival littéraire Northrop Frye, qui a lieu annuellement dans cette ville en avril. Une personne m'a demandé, avec un très joli accent acadien : « As-tu lu *The Educated Imagination* de Northrop Frye ? »

Je n'avais pas lu *Pouvoirs de l'imagination* de Frye. De fait, je n'avais rien lu de lui. Northrop Frye – et je l'apprends en vous le disant, en me renseignant – a vécu de 1912 à 1991, passant ses années de formation à Moncton (d'où le nom du Festival) et l'essentiel de sa vie adulte à l'Université de Toronto, où il a été un formidable phare. Frye était un critique littéraire de niveau mondial qui a publié des œuvres telles que *Fearful Symmetry : A Study of William Blake* ; *Anatomie de la critique* ; et *Le Grand Code : La Bible et la littérature*. Il a vécu une vie intellectuelle fascinante, essentiellement nourrie par la littérature, et il a beaucoup donné à ses étudiants et à ses lecteurs. Il fut un grand penseur, un grand professeur, un grand Canadien.

Il faut que je vous explique pourquoi je n'avais pas, jusqu'ici, lu Frye. Ce n'était pas de la paresse intellectuelle. C'était plutôt une décision consciente. Frye, je le répète, était critique littéraire. Il observait la littérature, il voyait *à travers* la littérature, y notant des symboles récurrents, des structures sous-jacentes, des métaphores universelles. Tout cela est captivant, bien sûr – mais pas pour le jeune homme que j'étais quand j'ai commencé à écrire. La connaissance de soi est souvent une bonne chose – cela vous apprend où sont vos limites –, mais un surcroît trop tôt peut gâter l'artiste naissant en vous si cela vous donne le sentiment que vous n'avez rien d'original en votre centre même, que vous n'êtes qu'une pâte destinée à un moule. Alors, je ne voulais, tout comme maintenant, qu'écrire, créer, inventer. Je ne voulais pas qu'on me dise ce que j'étais en train de faire, qui je répétais, à quelle convention j'obéissais. Pourquoi prendre conscience de moi-même si cela devait m'empêcher d'écrire ? J'évitais donc la critique littéraire, ces mots et ces livres qui risquaient de souffler la petite flamme de ma créativité. Le trope était trop pour moi.

Mais tout de suite après sa question au joli accent, l'Acadienne m'a remis le livre en question, *The Educated Imagination* de Northrop Frye. Elle a pensé à ce présent à cause du petit club du livre que nous menons, vous et moi. Elle s'est demandé si ce livre ne vous plairait pas. (Il faut que je vous le dise : je reçois constamment des suggestions de livres à vous envoyer). J'ai senti qu'il ne serait pas poli de ne pas lire un présent aussi généreux. Et puis maintenant que j'ai publié trois livres et que mon quatrième est presque terminé, je devrais bien pouvoir supporter qu'un critique littéraire tourne un miroir vers moi.

Eh bien, je suis heureux de vous dire que j'ai lu le livre et que je suis toujours debout. *Pouvoirs de l'imagination* a été une lecture très intéressante et je pense qu'elle pourrait l'être encore plus pour vous. Frye, dans ce livre court et fluide comme un discours – il s'agit en effet de six allocutions qu'il a prononcées dans le cadre des Conférences Massey de 1962 –, parle du rôle de la littérature dans l'éducation et dans la société, se demandant si celle-là est nécessaire à celles-ci.

Elle est certainement nécessaire ; Frye en débat de manière persuasive. Tout aboutit au langage et à l'imagination. Frye explique que quel que soit l'usage que nous fassions du langage, que ce soit pour nous exprimer dans la pratique, pour communiquer une certaine information ou pour notre propre plaisir créatif, il faut que nous ayons recours à notre imagination. Comme il le dit lui-même : « La littérature parle le langage de l'imagination, et l'étude de la littérature est censée former et améliorer l'imagination. Mais nous utilisons continuellement notre imagination : elle est présente dans toute notre conversation et dans la vie pratique : elle produit même des rêves pendant que nous dormons. Nous n'avons donc de choix qu'entre une imagination bien ou mal entraînée, que nous ayons lu de la poésie ou non. » L'imagination n'est pas l'apanage exclusif des écrivains. Elle appartient à tous. Ailleurs, Frye dit : « La tâche fondamentale de l'imagination dans la vie ordinaire… c'est de produire, à partir de la société dans laquelle nous vivons, une vision de la société au sein de laquelle nous voulons vivre. » Cette déclaration a d'évidentes conséquences politiques. Vous voyez donc pourquoi je disais que ce livre pourrait vous intéresser.

L'une des dichotomies classiques de l'existence est celle de la tête et du cœur, de la pensée et du sentiment, de la raison et de l'émotion. Ce n'est pas sans vérité, mais je me demande quelle est l'utilité de cette division. On pourrait penser qu'un mathématicien absorbé par son travail est totalement raisonnable, alors que quelqu'un en larmes sur la scène d'un terrible accident est totalement émotif, mais pouvons-nous par ailleurs faire une différence aussi claire entre les deux ? Frye croyait qu'il s'agissait là de manières différentes d'utiliser son imagination, que l'imagination est le fondement des deux. Et meilleure, plus fertile est notre imagination, plus nous serons aptes à être à la fois raisonnables et sensibles. Si vastes et si profonds que soient nos rêves, ainsi peut-il en être de notre réalité. Et il n'y a pas de meilleur maître que la littérature pour entraîner cette partie vitale de nous-mêmes.

L'imagination, donc, c'est là que tout commence, et pour vous et pour moi.

Je vous souhaite une bonne année.

Cordialement vôtre,
Yann Martel

Northrop Frye (1912-1991) fut l'un des critiques et théoriciens littéraires les plus respectés du Canada. Il a connu une notoriété internationale pour son premier livre, *Fearful Symmetry* et continua d'étendre sa réputation avec *Anatomy of Criticism* et *The Great Code : The Bible and Literature*. Il a été membre de la Société royale du Canada et Compagnon de l'Ordre du Canada. Il a obtenu de nombreux prix et honneurs, dont la Médaille Lorne Pierce, la Médaille Pierre Chauveau et le Prix littéraire du Gouverneur général. En plus de son importante contribution à la littérature canadienne, son nom est d'un usage fréquent dans les mots croisés. Un festival littéraire porte son nom et a lieu à Moncton chaque année.

LIVRE 21

Le violoncelliste de Sarajevo
de Steven Galloway

À Stephen Harper,
premier ministre du Canada,
une œuvre pour la personne tout entière,
d'un écrivain canadien,
avec ses meilleurs vœux,
Yann Martel

Le 21 janvier 2008

Cher Monsieur Harper,

Vous vous êtes peut-être parfois demandé comment je fais le choix des livres que je vous envoie. Pourquoi ne pas répondre à cette question dans cette lettre.

Tout livre obéit à une convention ou à une autre – que ce soit celle du roman ou celle de la biographie – et toutes les phrases y sont, soit conventionnelles du point de vue grammatical, soit à l'inverse, tenant peu ou pas compte de ces conventions. Il est rare, très rare l'écrivain réellement non conformiste, et le plus souvent sa révolution se situe à un niveau seulement, affectant, disons, sa perspective et il reste fidèle à la convention en ce qui concerne la ponctuation. Un écrivain qui s'éloigne du conventionnel à trop de niveaux court le risque de faire fuir son lecteur, qui perd pied dans un territoire si accidenté et qui abandonne sa lecture. *Finnigan's Wake*, de l'auteur irlandais James Joyce, est un exemple des difficultés d'une nouveauté si complète.

Un livre émerge d'une convention, donc, tout comme les catégories de la pensée qui président à la création des livres : art, histoire, géographie, science, etc. Voila ce qui nous plaît, à nous les humains. Nous aimons les phrases bien ordonnées et les livres de même, tout comme nous aimons les rues en ordre et les gouvernements bien ordonnés. Ce qui ne veut pas dire que nous sommes des êtres sans audace. Nous sommes audacieux ; en fait, il n'y a pas plus audacieuse créature sur la Terre que l'homme. Prenons un exemple non littéraire : à la fin des années soixante, les Américains ont rassemblé en un tout les conventions de la science, de l'ingénierie, du management et des finances et ont ainsi réussi à atteindre le but extrêmement non conventionnel de lancer sur la Lune deux de leurs citoyens.

Revenons aux livres. Ils sont les produits d'une convention, mais il y a de nombreuses conventions. J'en ai déjà mentionné deux, le roman et la biographie, issues de deux autres conventions : la fiction et la non-fiction. Dans chacune, il y a des sous-conventions, des catégories, des genres. Je vous ai plutôt envoyé des ouvrages de fiction que de non-fiction parce que les premiers offrent une interprétation plus achevée de la vie. Que veux-je dire par là ? Je veux dire que la fiction est à la fois plus personnelle et plus synthétique que la non-fiction. La fiction engage la personne tout entière. Un roman traite de la Vie elle-même, alors que l'histoire s'en tient à un exemple particulier de vie. Un grand roman russe – souvenez-vous du Tolstoï que je vous ai envoyé – aura toujours une résonance plus universelle qu'une grande histoire de la Russie ; on en vient à penser que celui-là parle d'une certaine manière de soi-même, alors que celle-ci concerne quelqu'un d'autre.

C'est donc là ma première règle : il doit s'agir d'une œuvre de fiction. Mais il y a plusieurs *types* d'œuvres de fiction. Il y a le roman littéraire, le thriller, le roman noir, la satire, etc. Comme vous ne m'avez pas encore fait connaître vos goûts en littérature, et comme ce n'est pas mon rôle de juger de ce que vous devriez lire, je n'ai exclu aucun genre littéraire. Avant tout, n'importe quel livre que je vous envoie doit être bon ; c'est-à-dire qu'une fois que vous l'aurez lu, vous devrez vous sentir plus sage, ou en tout cas plus éclairé. Ou pour le formuler autrement, comme je vous le disais il y a plusieurs mois, tous ces livres doivent faire accroître votre sens de la *quiétude*.

Les autres considérations sont simples : (1) je vous envoie des livres courts, en général de moins de deux cents pages. Vous êtes probablement plus occupé que quiconque, et vous devez avoir le sentiment que vous l'êtes de façon plus importante. Je crois que c'est une illusion. Comme un ami me l'a dit un jour, la seule chose qui va passer à l'histoire, c'est notre manière d'élever nos enfants. La vie du peuple canadien est déterminée et construite par chacun des Canadiens et Canadiennes, un petit geste à la fois. Il y a vingt-quatre heures dans une journée et chacun d'entre nous choisit comment remplir ces heures. Il n'y a pas une heure de l'un qui soit plus importante qu'une heure de l'autre. Il est par ailleurs plus difficile de saisir le contenu d'un volume de huit cents pages en fragments de quinze minutes qu'un mince roman ;

(2) pour la même raison que vous ne vous attribuez probablement pas de longues périodes de plusieurs heures pour plonger votre esprit dans une histoire complexe, je vous envoie des livres qui sont clairs ;

(3) je vous envoie des livres très diversifiés, qui vous donneront preuve de tout ce que la parole peut accomplir. Au rythme d'un livre toutes les deux semaines, cette exigence est plus difficile à satisfaire. Il y a *tellement* de bons livres dans le monde, M. Harper. Mais il faut que je me restreigne. J'ai commencé par des livres qui datent, cherchant à élaborer des *fondations*, et à partir de là, je vais construire jusqu'à ce que j'arrive à des livres issus de nos nations plutôt jeunes que sont le Canada et le Québec.

À l'intérieur de ces vastes paramètres, je choisis les livres que je vais vous faire parvenir spontanément, presque par hasard, simplement parce qu'ils me semblent pouvoir vous intéresser. Et j'écoute parfois les suggestions des autres, comme je l'ai fait il y a deux semaines avec *Pouvoirs de l'imagination* de Northrop Frye (Est-ce que cette œuvre vous a plu, d'ailleurs ?)

Mais certaines règles sont faites pour être brisées, et le livre de cette semaine en est un exemple. *Le violoncelliste de Sarajevo* de Steven Galloway possède un langage clair, mais il est un tant soit peu trop long pour notre mesure (cinquante-huit pages au delà de la limite) ; c'est une œuvre canadienne et elle est tellement récente qu'on pourrait dire qu'elle est prénatale : elle n'a même pas encore été publiée. Ce roman doit sortir en avril de cette année. L'édition toute simple que vous avez entre les mains est ce que les éditeurs appellent un tirage d'essai. On l'envoie à des libraires, à des journalistes, à des clubs de lecture afin de créer de l'intérêt et un certain enthousiasme autour d'un livre avant même sa publication – c'est un peu comme les politiciens qui font la tournée des barbecues pendant l'été précédant une élection. Le public général des lecteurs ne voit habituellement pas de tels tirages. Ce que vous avez en main est donc un objet rare.

Et c'est également un grand et puissant roman qui illustre comment des gens peuvent maintenir leur humanité ou la reconquérir quand ils font face à des contraintes extrêmes. Je suis sûr que vous allez entendre parler du *Violoncelliste de Sarajevo* par d'autres personnes que moi. L'intrigue se déroule durant le brutal siège de la ville bosniaque de Sarajevo au début des années quatre-vingt-dix. Cette histoire a fait les manchettes pendant des années, mais je pense que la plupart d'entre nous l'avons suivie de manière léthargique, en nous demandant comment les gens pouvaient se faire de telles choses les uns aux autres. Eh bien, le roman de Galloway explique comment. Ce livre est une œuvre de fiction accomplie : il vous met face à une situation qui peut vous être étrangère, vous la rend familière et vous amène à la comprendre. C'est ce que je veux dire quand je dis que la fiction engage « la personne tout entière ». En lisant *Le violoncelliste de Sarajevo* vous êtes là en imagination, à Sarajevo, tandis que les obus de mortier tombent et que les snipers cherchent à vous descendre au moment où vous traversez une rue. Votre esprit voit tout, votre sens moral est outré : toute votre humanité est mise à contribution.

Tout en étant une vision réfléchie issue de la réalité, *Le violoncelliste* n'est pas du journalisme. Il y a une fine intention qui est tissée dans les mailles de la narration réaliste de ses trois principaux personnages. C'est ce que vous verrez en lisant la dernière ligne du roman, qui est magnifique.

Cordialement vôtre,
Yann Martel

Steven Galloway, né en 1975, romancier canadien dont l'œuvre a été traduite dans plus de vingt langues. À part *Le violoncelliste de Sarajevo*, il a écrit les romans *Finnie Walsh* et *Ascension*. Il enseigne la création littéraire à l'Université Simon Fraser et à l'Université de la Colombie-Britannique.

LIVRE 22

Pensées
de Marc Aurèle

À Stephen Harper,
premier ministre du Canada,
le livre d'un autre chef de gouvernement,
d'un écrivain canadien,
avec ses meilleurs vœux,
Yann Martel

Le 4 février 2008

Cher Monsieur Harper,

Tout comme vous, Marc Aurèle était chef de gouvernement. En 161 apr. J.-C., il devint empereur romain, le dernier des « cinq bons empereurs » – Nerva, Trajan, Hadrien, Antonin le Pieux, Marc Aurèle – qui régnèrent pendant quatre-vingt-quatre ans de paix et de prospérité, soit de 96 à 180 apr. J.-C., ère de l'apogée de l'Empire romain.

Rome mérite qu'on l'étudie. Comment une petite ville au bord d'une rivière devint le centre de l'un des empires les plus puissants que le monde ait connu, en venant à dominer des milliers d'autres petites villes également au bord de rivières, nous enseigne de nombreuses leçons. On ne peut douter que Rome ait été puissante. La dimension même que l'empire atteignit coupe le souffle : depuis l'estuaire du Forth jusqu'à l'Euphrate, du Tage jusqu'au Rhin, s'étendant jusqu'en Afrique du Nord, les Romains ont pendant un temps régné sur la plus grande partie du monde qui leur était connu. Ce qu'ils ne dominaient pas n'en valait pas la peine, pensaient-ils : ils laissèrent aux « barbares » ce qui se trouvait au delà de leurs frontières.

Une autre mesure de leur grandeur tient à l'influence romaine qu'on continue de ressentir encore aujourd'hui. Le sabir local de Rome, le latin, devint la langue maternelle de presque toute l'Europe, et l'italien, le français, l'espagnol et le portugais continuent d'être parlés partout dans le monde. (Les hordes germaniques d'au delà du Rhin, entre-temps, réussirent à patronner une seule langue internationale, qui a prospéré, certes, l'anglais.) Nous devons également à Rome notre calendrier, avec ses douze mois et ses années de trois cent soixante-cinq jours et un quart ; les noms des sept jours de la semaine remontent tous à l'époque romaine ; et même si nous n'utilisons plus que sporadiquement le système de chiffres romains (i, ii, iii, iv, v, vi…), nous avons conservé l'usage de l'alphabet de vingt-six lettres.

Malgré sa puissance et sa force, l'Empire romain nous impose une autre leçon : comment il s'est évanoui. Les Romains ont contrôlé d'immenses et lointaines régions pendant des siècles, mais maintenant leur empire a totalement disparu. Un Romain, de nos jours, est simplement une personne qui vit à Rome, une ville qui est belle par son amoncellement de ruines. Ce fut bien là le sort de tous les empires : romain, ottoman, britannique, soviétique, pour ne nommer que quelques empires européens. Quel sera le prochain empire à disparaître, le prochain à poindre ?

L'intérêt qu'il y a à lire les *Pensées* de Marc Aurèle, le livre que je vous envoie cette fois-ci, tient autant à son contenu qu'à la connaissance de celui qui l'a écrit. L'histoire de l'Europe nous a habitués à voir un monarque après l'autre monter sur le trône pour aucune autre raison qu'une filiation directe, ne laissant aucun rôle au talent ou à la compétence. De là cette chaîne sans fin de personnalités médiocres – et je suis charitable – qui en sont venues à gouverner et à mal gérer de nombreuses nations européennes. Ce n'est pas ainsi que Marc Aurèle accéda au pouvoir. L'empereur Antonin le Pieux, dont il a hérité du trône, n'était pas son père biologique.

Et Marc Aurèle ne fut pas élu non plus. Il fut plutôt choisi. Les empereurs romains léguaient leur empire à leur fils, mais ce lien qui les unissait était rarement biologique. Ils désignaient leur successeur de par un système autoritaire mais flexible : l'adoption. Marc Aurèle devint empereur parce qu'il fut adopté par l'empereur en place. Chaque empereur choisissait pour lui succéder celui qu'il voulait parmi les nombreux membres talentueux se faisant concurrence au sein de l'élite très diversifiée de Rome. Les membres de cette classe étaient souvent parents, mais il fallait tout de même qu'ils fassent leurs preuves s'ils voulaient avancer dans le monde.

En cela, la société romaine ressemblait beaucoup aux démocraties modernes, avec ses élites imbues de principes et bien instruites qui cherchaient à perpétuer le système et, avec lui, à se perpétuer elles-mêmes. La Rome d'alors, de certaines manières, ne semble pas si différente de l'Ottawa, du Washington ou du Londres d'aujourd'hui. À côté de ce que j'appellerais franchement l'étrange abîme de l'essentiel de l'histoire européenne, peuplée d'Européens pensant et se comportant de façon que nous comprenons à peine selon nos critères contemporains, il est surprenant de découvrir un peuple qui, il y a deux mille ans, pensait, luttait, discutait, affichait des principes qu'il dilapidait, et ainsi de suite – imaginez un peuple en apparence exactement comme nous. De là l'intérêt inépuisable de l'histoire romaine.

Marc Aurèle était donc un homme de grand talent choisi pour devenir empereur de Rome. En d'autres mots, un politicien, et, comme vous, il était très occupé ; il a passé une grande partie de son temps à se battre contre les hordes barbares aux frontières de l'Empire. Mais en même temps, c'était un homme de réflexion – avec un penchant pour la philosophie – qui mettait ses pensées par écrit. C'était en effet un écrivain.

L'empereur Marc Aurèle était un stoïcien et quelques-unes de ses affirmations sont plutôt sombres : « Tu auras bientôt oublié le monde, et bientôt le monde t'aura oublié » est l'une de ses déclarations caractéristiques. Il fait grand cas dans ses méditations du côté éphémère du corps, de la gloire, des empires, d'à peu près tout. Encore et encore, Marc Aurèle se pousse lui-même à des niveaux toujours plus élevés de pensée et de conduite. Tout cela est fortifiant, salutaire. À bien des titres, c'est un livre parfait pour vous, M. Harper. Un livre pratique pour penser, pour être et pour agir, écrit par un roi-philosophe.

C'est aussi le genre de livre qu'on ne lit pas tout d'une traite, de la page 1 à la page 163. Il n'y a pas de narration continue, pas d'argumentaire qui se développe. Les *Pensées* sont plutôt des réflexions indépendantes divisées en douze livres, chacun étant divisé en points numérotés qui vont d'une ligne à quelques paragraphes. Le livre se prête à une série de courtes visites au hasard. Je vous suggère d'inscrire un point en marge de chaque pensée que vous lirez. Ainsi, avec le temps, vous les aurez toutes lues.

Cordialement vôtre,
Yann Martel

Marc Aurèle (121-180 apr. J.-C.) écrivit ses *Pensées* en grec pendant des campagnes militaires entre 170 et 180 apr. J.-C. Dans cette œuvre, il souligne l'importance du service gouvernemental, du devoir, de la persévérance, de l'abstinence, de l'abandon de soi à la Providence et du détachement de ce sur quoi on n'a pas de contrôle.

Artistes et modèles
d'Anaïs Nin

À Stephen Harper,
premier ministre du Canada,
une œuvre osée,
d'un écrivain canadien,
avec ses meilleurs vœux,
Yann Martel

Le 18 février 2008

Cher Monsieur Harper,
    C'était la Saint-Valentin il y a quelques jours à peine et nous venons de traverser une longue période de froid intense en Saskatchewan – deux bonnes raisons pour vous envoyer quelque chose qui réchauffe.
    Anaïs Nin – quel joli nom – vécut de 1903 à 1977 et elle fut l'auteure de nombreux romans que je ne connais pas : *Les miroirs dans le jardin*, *Les enfants de l'albatros*, *Le cœur aux quatre logis*, *Une espionne dans la maison de l'amour* et *Barque solaire* forment un roman-fleuve intitulé *Les cités intérieures* (1959). Elle a aussi publié les romans *La maison de l'inceste* (1936), *La séduction du Minotaure* (1961) et *Collages* (1964), et un recueil de nouvelles, *La cloche de verre*. Le seul plaisir que ces livres m'aient donné a été de me demander quel en était le sujet. De quoi peut bien traiter un roman qui s'intitule *Barque solaire* ? Qu'était l'albatros et qui étaient ses enfants ?
    Nin est surtout connue pour la publication de son journal, qui couvre chaque décennie de sa vie sauf la première (et encore, elle ne l'a ratée que de peu puisqu'elle a commencé à écrire son journal à onze ans). Elle est née en France, a longtemps vécu aux États-Unis, elle était très belle et cosmopolite, elle en est venue à connaître bien des personnalités intéressantes et fameuses, dont l'écrivain Henry Miller, toutes personnes dont elle a parlé et qu'elle a décrites dans

son journal. L'importance de ce journal tient au fait que la voix féminine a souvent été maintenue sous silence ou ignorée – elle l'est encore – et qu'un long monologue féminin détaillé qui couvre toute la première moitié du xxᵉ siècle est chose rare.

Et Anaïs Nin a écrit des textes érotiques. De la littérature osée. Des textes pervers diront certains. De pleines pages où les femmes ne sont pas mouillées parce qu'il pleut et où les hommes ne sont pas durs parce qu'ils sont cruels. *Artistes et modèles*, qui réunit deux nouvelles tirées de ses recueils d'écrits érotiques *Vénus érotica* et *Les petits oiseaux*, voilà le livre que je vous envoie aujourd'hui. Cela peut fort bien vous laisser froid, M. Harper, de lire l'histoire de Mafouka l'hermaphrodite peintre de Montparnasse et de ses colocataires lesbiennes, ou celle de l'éveil sexuel du modèle d'un peintre de New York, mais il vaut la peine de rappeler que s'il est souvent utile de couvrir notre corps et notre cœur de vêtements – il fait 23 degrés Celsius sous zéro dehors, au moment où je vous écris ces lignes – ces vêtements risquent aussi de cacher, et même d'enterrer une partie essentielle de nous-mêmes, une partie qui n'est pas douée de pensée, mais plutôt de sensations. Les vêtements sont l'apanage les plus habituels de la vanité. Nus, nous sommes honnêtes. C'est la qualité essentielle de ces sulfureuses histoires de Nin ; même si elles pourraient avoir été inventées ou enjolivées, elles sont honnêtes. Elles affirment : voici une partie de ce que nous sommes – la nier, c'est nous nier nous-mêmes.

Cordialement vôtre,
Yann Martel

Anaïs Nin (1903-1977), née à Paris, a été élevée aux États-Unis et s'identifiait elle-même comme une écrivaine catalano-cubano-française. Elle a créé une œuvre prolifique en tant que romancière, nouvelliste et auteure de journal intime, mais elle est mieux connue pour les nombreux volumes de son *Journal*. Elle fut aussi une écrivaine notoire de littérature érotique. Elle a vécu des aventures amoureuses avec des personnalités fameuses telles que Henry Miller et Gore Vidal.

En attendant Godot
de Samuel Beckett

À Stephen Harper,
premier ministre du Canada,
un chef-d'œuvre moderniste,
d'un écrivain canadien,
avec ses meilleurs vœux,
Yann Martel

Lᴇ 3 *mars 2008*

Cher Monsieur Harper,

C'est curieux, mais le livre que je vous envoie en ce début de mars, une pièce de théâtre, seulement la deuxième œuvre dramatique que je vous fais parvenir, en est une que je ne n'aime pas vraiment. Elle m'a toujours agacé. Cela ne veut pas dire pour autant que ce n'est pas une bonne pièce, ou même une grande pièce. En effet, le fait qu'elle continue de me déranger confirme sa grandeur, d'une certaine manière, car si je vous disais avec assurance « Ceci est un chef-d'œuvre », cela voudrait dire que j'ai une opinion établie à son sujet, une compréhension solide, que la pièce se tient pour moi comme une statue sur son piédestal, noble, guindée et aucunement dérangeante. Or, *En attendant Godot*, de Samuel Beckett, n'est rien de tout cela.

Pour confirmer davantage que j'ai tort quant à mon opinion sur *Godot*, j'ajouterai que même si la pièce a été écrite à la fin des années quarante, elle ne vous paraîtra aucunement vieillotte quand vous la lirez. Voilà bien une réussite considérable. C'est une évidence de dire que les pièces sont faites de dialogues. Il n'y a pas de prose qui enveloppe le tout pour fournir un contexte. On pourrait croire que le cadre d'une pièce serait l'équivalent des descriptions qu'on lit dans un roman et qui campent l'histoire, mais ce n'est pas le cas. Bien des pièces historiques et des opéras sont remis en scène dans des cadres que leur auteur ou leur compositeur n'aurait jamais imaginés, et on ne perd rien de leur sens pour autant. *Macbeth* de Shakespeare a du sens pour le spectateur, même s'il n'est pas joué sur fond de château. C'est le dialogue qui porte totalement sur ses épaules la signification et le développement d'une pièce. Mais notre façon de parler change avec le temps, et certains mots et certaines expressions avec lesquels le dramaturge était familier nous semblent dépassés de nos jours.

De plus, le propos des pièces est essentiellement les relations, les sentiments ressentis entre les personnages, manifestés dans ce qu'ils se disent l'un à l'autre et dans leur comportement, et certaines relations ont aussi changé au cours de l'histoire. Finalement, les pièces sont situées dans un lieu précis et littéral, les acteurs portent des costumes et se déplacent dans des décors que nous voyons de nos yeux, et non dans l'imaginaire que crée en nous la prose. De quelle manière ces deux derniers points font de la plupart des pièces de théâtre un produit plus périssable, le souvenir des vieux feuilletons de télévision des années soixante-dix vous en donnera une preuve claire. Vous souvenez-vous, M. Harper, de *Ma sorcière bien-aimée*, au sujet d'une sorcière nommée Samantha qui vivait dans une banlieue avec son mari, Jean-Pierre, et leur fille Tabatha? J'adorais cette émission quand j'étais petit. Il y a quelques années, j'en ai revu un épisode par hasard – et j'ai été consterné. Le sexisme m'a semblé flagrant, avec Jean-Pierre qui cherchait toujours à empêcher Samantha de se servir de ses pouvoirs magiques et Samantha, la bonne et docile épouse, qui tentait toujours d'obéir. Et la façon que les personnages avaient de s'habiller, de se coiffer – cela, au moins, c'était innocemment ridicule. Vous voyez ce que je veux dire. Ce qui était rafraîchissant et drôle dans le temps est devenu vieillot et gênant. Les femmes sont maintenant plus libres d'utiliser leurs pouvoirs magiques et tout le monde s'habille différemment. En témoignant d'une façon aussi précise d'une époque, d'un lieu et d'un jargon, de nombreuses pièces se destinent à la même fugacité que les journaux.

Il est très fort, le dramaturge qui peut s'adresser à ceux et celles de son temps ainsi qu'à nous. Shakespeare y arrive, d'une manière imposante. Même si un étudiant ne sait pas ce qu'est un «thane», et même si les rois ne règnent pas en 2008 comme ils le faisaient en 1608, cela ne change en rien la puissance et la signification actuelle de la pièce écossaise. *En attendant Godot* a aussi réussi à parler à toutes les époques jusqu'ici. Même si la première a eu lieu en 1953, les singeries, les rêvasseries et les préoccupations de Vladimir et d'Estragon vous sembleront quand même drôles, déconcertantes, pénétrantes, affolantes et encore actuelles.

La pièce traite de la condition humaine, ce qui, dans la vision réductrice qu'en a Beckett, veut dire que la pièce est surtout sur rien. Deux hommes, ceux que je viens de mentionner, Didi et Gogo en termes familiers, attendent parce qu'ils pensent avoir un rendez-vous avec un certain Godot. Ils attendent et ils parlent et ils se désespèrent, sont interrompus deux fois par deux fous qui s'appellent Pozzo et Lucky, et puis ils continuent d'attendre, de parler et de se désespérer. C'est à peu près cela. Pas d'intrigue, pas de véritable développement, pas de conclusion. Il en va de même du cadre réduit à fort peu de choses : rien qu'un simple arbre solitaire le long d'un chemin de campagne désert. Les seuls accessoires qu'on puisse noter sont des bottes, des chapeaux melon et une corde.

Essentiellement, deux heures d'un rien qui est bon et profond, pessimiste et drôle. Beckett cherchait à dépouiller toutes les vanités de notre existence et à voir ce qui est élémentaire. Voilà justement ce qui fait d'*En attendant Godot* une œuvre à la fois grande et exaspérante, quant à moi. Il y a par exemple cette réplique prononcée par je ne sais plus quel personnage : « On accouche à cheval sur un tombeau. » Je suppose que c'est vrai. Si la mort interrompt la vie, quelle valeur peut bien avoir la vie ? Si nous devons éventuellement tout abandonner, pourquoi nous accrocher à quoi que ce soit au départ ? Cette sorte de pessimisme est le poids que doivent porter ceux qui ont été témoins de périodes terribles (Beckett vécut en France durant l'occupation allemande) et c'est aussi le plaisir des étudiants universitaires qui vivent les affres de l'angoisse de la jeunesse. Je réalise que ma vie ne va pas durer plus que celle d'une feuille d'arbre, mais qu'entre le moment où je connais la fraîcheur et la gloire à la cime de mon arbre et celui où je suis jaune sous le râteau du Temps, il y a de bons moments à vivre.

Samuel Beckett a partagé sa vie avec la même femme, Suzanne Beckett, née Descheveaux-Dumesnil, pendant plus de cinquante ans. Et il semble qu'il ait été un fan et un joueur enthousiaste de tennis. Dans ces deux passions, je saisis une contradiction entre ce que cet homme a écrit et ce qu'il a vécu. S'il prenait plaisir et avait l'énergie de frapper une bondissante balle jaune au-dessus d'un filet, s'il avait la joie et le réconfort de savoir que quelqu'un l'attendait à la fin de chaque journée, à quoi tenait donc son désespoir ? Une épouse et le tennis, que pouvait-il attendre de plus de la vie ? Et tout cela, à part l'exploration des idées de ceux qui réduisent la mort à un simple seuil qu'il faut franchir, rien qu'un interstice auquel il faut faire attention entre le train de la vie et le quai de l'éternel.

Et pourtant, je sais qu'*En attendant Godot* est une grande pièce. Vous allez le constater en la lisant. C'est un chef-d'œuvre. Elle accomplit ce qu'aucune autre pièce n'avait accompli avant elle.

Cordialement vôtre,
Yann Martel

Samuel Beckett (1906-1989), auteur irlandais, romancier, dramaturge et poète ; il est considéré comme l'un des derniers modernistes et peut-être même l'un des premiers postmodernistes. Son œuvre se caractérise par son minimalisme et son humour noir. Il vivait en France et travailla comme courrier dans la Résistance française pendant la Seconde Guerre mondiale. On lui attribua le prix Nobel de littérature en 1969. Ses romans les plus connus sont *Molloy*, *Malone meurt* et *Innommable*.

LIVRE 25

The Dragonfly of Chicoutimi
de Larry Tremblay

À Stephen Harper,
premier ministre du Canada,
cette pièce pour triompher du silence,
d'un écrivain canadien,
avec ses meilleurs vœux,
Yann Martel

Le 17 mars 2008

Cher Monsieur Harper,

Il était temps de vous envoyer l'œuvre d'un écrivain québécois, l'œuvre d'un écrivain qui vient de la solitude jumelle du Canada anglais. Il s'agit encore d'une pièce, la deuxième de suite, la troisième en tout. Et pour la deuxième fois – la première, c'était *Le Petit Prince* – je vous envoie un livre en français. Quoique le français de *The Dragonfly of Chicoutimi* de Larry Tremblay soit un peu particulier. Non, ce n'est pas du joual, ou une variante quelconque du français du Québec ; il n'y aurait rien là de spécial, on pourrait s'y attendre dans une pièce de théâtre québécoise. Non, c'est plutôt que, si vous y jetez un coup d'œil, vous allez croire que c'est purement et simplement de l'anglais. Eh bien, ça n'en est pas. La pièce de Tremblay est écrite en français – c'est-à-dire qu'elle a été pensée, sentie, construite et exprimée par un esprit français –, mais en utilisant des mots anglais.

Quel est le sens de cette démarche ? Est-ce une sorte d'humour, une espèce d'histoire drôle transformée en pièce de théâtre ? Non, ce n'est pas cela. La couverture du livre elle-même vous l'indiquera clairement. Reconnaissez-vous l'homme qu'on y voit ? C'est Jean-Louis Millette, le grand acteur mort il y a quelques années à peine, bien trop tôt. Il a les bras levés, le visage empreint d'angoisse, le fond de l'image est noir : cette pièce n'est pas une comédie, dit la couverture. *The Dragonfly of Chicoutimi* est en effet une œuvre d'art sérieuse, qui a été jouée en première, et puis en reprise, par un maître.

Était-ce un geste politique que d'écrire une pièce de nature française mais à l'apparence anglaise ? La réponse à cette question pourrait être oui, mais un petit oui, car on peut prêter à toute œuvre d'art des incidences politiques. Dans ce cas, je crois que le fait d'effectuer une lecture politique de la pièce en diminue la portée. La pièce de Larry Tremblay est à la fois bien trop personnelle – c'est le monologue d'un homme qui livre le fond de son âme sur une affaire personnelle – et bien trop universelle pour qu'on la réduise à un tract politique concernant la survie de la langue française au Québec.

Je pense que Tremblay veut marquer la neutralité politique de sa pièce quand Gaston Talbot, celui qui parle à cœur ouvert, dit de lui-même :

> once upon a time a boy named Gaston Talbot
> born in Chicoutimi
> in the beautiful province of Quebec
> in the great country of Canada
> had a dream…

Quand il décrit les deux endroits avec des qualificatifs également banals – et même un cliché dans le cas du Québec, officiellement « la Belle Province » –, mon impression est que Tremblay souhaite situer la dualité linguistique de sa pièce au delà d'une interprétation purement politique. Le rêve dont il parle, d'ailleurs, n'est pas un rêve politique, mais plutôt un songe au sujet de la mère de Gaston Talbot, à l'amour de laquelle il aspire.

Et qu'est-ce que Gaston Talbot, de Chicoutimi, a à dire et pourquoi le dit-il en français rendu en anglais ?

Je dirais que *The Dragonfly of Chicoutimi* est une pièce sur la souffrance et la rédemption, sur ce qu'il faut faire pour se retrouver soi-même. Gaston Talbot est un adulte francophone frappé d'aphasie qui, au moment où on le rencontre, recommence

soudain à parler, mais en anglais, plutôt que dans sa langue maternelle. Et ce qu'il raconte, c'est qu'il y a longtemps, quand il avait
seize ans, il a été amoureux d'un garçon de douze ans nommé
Pierre Gagnon-Connally, et qu'ils sont allés tous les deux jouer au
bord de la rivière et Pierre lui a demandé d'être son cheval et que
soudain Pierre

… catches me
with an invisible lasso
inserts in my mouth an invisible bit
and jumps on my back
he rides me guiding me with his hands on my hair
after a while he gets down from my back
looks at me as he never did before
then he starts to give me orders in English

I don't know English
but on that hot sunny day of July
every word which comes
from the mouth of Pierre Gagnon-Connally
is clearly understandable

Get rid of your clothes
Yes sir
Faster faster

Et puis quelque chose s'est passé, ce n'est pas clair, un accident,
une poussée inexplicable de violence, et Pierre Gagnon-Connally
est mort et lui, Gaston Talbot, est tombé dans le silence.

La pièce est un tissu de mensonges avoués et d'inventions. La
première chose qu'affirme Gaston Talbot est « I travel a lot ». Plus
tard, il admet qu'il n'a jamais voyagé nulle part. Puis racontant son
rêve, il dit d'abord qu'il avait un visage, un « Picasso face », puis il
admet que non, que c'était un autre visage. Gaston Talbot se sert
de ces mensonges comme d'un bouclier, et grâce à eux il s'approche
doucement de la vérité. Les mots anglais sont donc une autre forme

de mensonges qui révèlent la vérité et lui permettent de chercher ce qui l'a poussé vers le pire des abîmes : le silence.

Comme je l'ai fait pour le quatrième livre que je vous ai fait parvenir, *À la hauteur de Grand Central Station je me suis assise et j'ai pleuré*, d'Elizabeth Smart, je vous suggère de lire *The Dragonfly of Chicoutimi* à voix haute. Mieux encore, vous devriez le lire une première fois en silence, comme si vous étiez Gaston Talbot avant le début de la pièce, et puis le lire à voix haute, comme si vous étiez Gaston Talbot mourant d'envie de s'exprimer.

La pièce soulève bien sûr les questions de la langue et de l'identité, de ce que signifie s'exprimer dans une langue plutôt que dans une autre. Les langues ont évidemment des points de repère culturels, mais ils peuvent changer. Prenez l'anglais, parlé et acquis pleinement par tant de gens autour du monde qui ne sont pas de culture anglaise. Mais cette pièce amène cette question à un niveau plus personnel. Gaston Talbot réussit à revenir vers son douloureux passé et à dire ce qu'il a à dire grâce à un subterfuge bilingue. C'est la saisissante et émouvante conclusion de l'œuvre : la vue de la vérité à travers un masque.

Cordialement vôtre,
Yann Martel

Larry Tremblay, Québécois né en 1954 à Chicoutimi, poète, romancier, essayiste, dramaturge, metteur en scène de théâtre, comédien et enseignant. Ses pièces explorent souvent la violence psychique et sociale, et elles mettent de l'avant son utilisation des images fortes et son style typiquement concis et rythmé.

LIVRE 26

Lettres d'anniversaires
de Ted Hughes

À Stephen Harper,
premier ministre du Canada,
ce recueil de grands poèmes pour marquer le premier anniversaire de
notre club du livre,
d'un écrivain canadien,
avec ses meilleurs vœux,
Yann Martel

Le 31 mars 2008

Cher Monsieur Harper,

Nous marquons vous et moi un anniversaire. Le livre qui accompagne cette lettre est le vingt-sixième que vous ayez reçu de moi.
Puisque je vous fais parvenir ces présents littéraires toutes les deux
semaines, cela veut dire que notre intime cercle de lecture célèbre son
premier anniversaire. Comment nous en sommes-nous tirés ? Ç'a été
une odyssée particulièrement intéressante ; elle m'a demandé beaucoup plus de temps que je ne m'y attendais, mais le plaisir que j'y ai
pris a soutenu mon ardeur et ma motivation. À ce jour, le résultat :
pour moi, une chemise contenant les copies de vingt-six lettres et
pour vous un rayon de vingt-huit minces volumes (la différence tient
à l'envoi de trois livres à l'occasion de Noël). Si nous jetons un coup
d'œil sur votre nouvelle bibliothèque qui va croissant, nous voyons :

13 romans
3 recueils de poèmes
3 pièces de théâtre
4 livres d'essais
4 livres jeunesse et
1 roman en bandes dessinées

écrits (ou dans un cas, édité) par :

1 Russe
5 Britanniques
7 Canadiens (dont 1 Québécois)
1 Indien
4 Français
1 Colombien
2 Suédois
3 Américains
1 Allemand
1 Tchèque
1 Italien, et
1 Irlandais

dont

16 étaient des hommes
9 étaient des femmes,
2 livres dont les auteurs étaient des deux sexes, et
1 livre dont on ne connaît pas le sexe des auteurs (mais mon impression est cependant que ce sont des hommes qui ont composé le *Bhagavad-Gita*)

Trop de romans, trop d'hommes, pas assez de poésie, pourquoi ne vous ai-je pas encore envoyé une seule œuvre de Margaret Atwood ou d'Alice Munro – au rythme d'un livre toutes les deux semaines, il est difficile d'être représentatif et impossible de faire plaisir à tout le monde. Mais nous sommes en bonne voie. Glenn Gould a dit un jour : « Le but de l'art est de construire au long de toute une vie un état d'émerveillement. » Nous avons encore le temps.

Il semblait approprié à l'occasion de cet anniversaire de vous offrir un livre intitulé *Birthday Letters – Lettres d'anniversaires*. Il y a un mot de célébration dans le titre, même si le ton du livre n'évoque guère un gâteau garni d'une petite bougie allumée.

Voici les faits. En 1956, un Anglais de vingt-six ans nommé X épousa une Américaine de vingt-trois ans appelée Y. Ils eurent deux enfants. Leur relation fut lourde de tensions, aggravée par l'aventure amoureuse de X avec une femme nommée Z, et alors, en 1962, X et Y se séparèrent. En 1963, déjà mentalement instable depuis l'adolescence, Y se suicida au gaz. Six ans plus tard, en 1969, Z, qui avait eu entre-temps une enfant de X, une petite fille surnommée Shura, se suicida à son tour, emportant impardonnablement Shura avec elle. Deux faits encore, les derniers : d'abord, comme il était toujours marié à Y quand elle mourut, X devint son exécuteur testamentaire et, deuxièmement, X fut infidèle sa vie durant.

On peut à peine concevoir l'immensité de la douleur que contiennent ces faits anonymes – tourment, chagrin, tristesse, honte, remords. Quelle vie ne serait pas envahie, absolument détruite par une telle douleur ? Et est-ce que cette douleur ne serait pas plus grande encore si elle était à la vue de tous, faisait l'objet des commentaires de tout un chacun ?

X, c'était Ted Hughes, Y, c'était Sylvia Plath et Z, c'était Assia Wevill, et leur douleur collective, l'affreux gâchis que fut leur vie, auraient été perdus et oubliés si les deux premiers n'avaient été des poètes splendides et fameux qui donnèrent expression à cette douleur. Une notoriété additionnelle venait s'ajouter à la situation par le fait qu'on pouvait facilement prendre parti pour l'un ou l'autre des protagonistes de cette tragédie. Pourquoi donc la tragédie nous engage-t-elle si souvent à réagir de la sorte ? Je suppose que les émotions fortes nous renversent, et que nous nous déplaçons d'un côté ou de l'autre, pour ainsi dire, comme si on esquivait une voiture hors de contrôle, et il faut le passage du temps, l'épreuve de la mémoire, pour que nous portions un regard de sobre tristesse, que nous observions posément et que nous ne souhaitions plus aller vers un parti ou l'autre. De toute façon, il ne faut pas être avocat pour identifier un conflit d'intérêts dans le cas de Hughes comme exécuteur littéraire de Plath, ses douloureux recueils posthumes de poésie et son douloureux journal intime ayant été édités par celui-là même qui avait été la cause d'une grande part de sa détresse, certains allant jusqu'à dire qu'il avait édité les œuvres en ayant à l'esprit d'améliorer sa propre réputation. De plus, le fait qu'il ait détruit le dernier volume de son journal intime, celui où elle racontait les ultimes mois de leur relation, ajoute autant de force aux griefs contre lui. Et que dire de son incessante promiscuité ? Comment imaginer que la honte et le remords restreignent si peu la libido ?

C'est avec véhémence que les partis se confrontèrent. Jusqu'à sa mort, Hughes fut méprisé par les féministes et par tous ceux qui aimaient Plath, et je doute que la controverse qui entoure leur relation glisse jamais hors de l'attention publique. Qu'y a-t-il à la défense de Hughes ? Il y a une réponse facile à cette question : sa poésie.

Qu'on puisse dépeindre l'auteur de *Lettres d'anniversaires* comme un coureur de jupons impénitent, arrogant et sans remords, pèse bien peu face à la splendeur de sa poésie. Cela rappelle le fait que le grand art, dans son essence, ne tient pas tant de la moralité que du témoignage, par l'attestation de la vie telle que vécue, autant dans les hauteurs de sa gloire que dans les profondeurs de sa turpitude.

La grande poésie tend à faire taire le romancier en moi. Cela prend tant de mots pour faire un roman, des quantités et des quantités de phrases et de paragraphes, et puis je lis un seul grand poème qui ne fait même pas deux pages, et toute ma prose me semble du verbiage. Vous verrez ce que je veux dire quand vous lirez ces poèmes. Ce sont des poèmes narratifs, leur ton est intime, habituellement le « je » parle à un « tu », le langage est comme du vif-argent, extraordinairement concis, avec des mots simples aménagés d'une manière originale et puissante et il en résulte, poème après poème, non seulement une image claire mais aussi une inoubliable impression. Prenez « Sam », ou « Your Paris », ou « You Hated Spain », ou « Chaucer », ou « Flounders », ou « The Literary Life », ou « The Badlands », ou « Epiphany », ou « The Table ».

Ted Hughes était peut-être, aux yeux de celui d'humeur moralisatrice, un salaud, mais le salaud était aussi un formidable barde, sa poésie baignait dans la beauté. Et la preuve en est bien faite dans *Lettres d'anniversaires* : X a vraiment aimé Y, et s'il peut se trouver une rédemption dans l'art, en voici une.

Cordialement vôtre,
Yann Martel

Ted Hughes (1930-1998), écrivain pour enfants, dramaturge, auteur de nouvelles, critique et poète renommé, il a occupé le poste de Poète Lauréat de Grande-Bretagne de 1984 jusqu'à sa mort. La poésie qu'il a publiée en début de carrière, dont son premier recueil, *Hawk Roosting*, portait surtout sur la beauté et la violence dans la nature, alors que ses recueils ultérieurs, comme *Crow*, étaient de nature existentielle, satirique et cynique. Il a écrit plus de quatre-vingt-dix livres et a reçu la Bourse Guggenheim, le prix Whitbread de poésie et l'Ordre du Mérite.

LIVRE 27

La promenade au phare
de Virginia Woolf

À Stephen Harper,
premier ministre du Canada,
d'un écrivain canadien,
avec ses meilleurs vœux,
Yann Martel

Le 14 avril 2008

Cher Monsieur Harper,

Votre classique cette semaine est d'une certaine manière de lecture plus difficile que la plupart des autres livres que je vous ai envoyés. Bien des œuvres engagent le lecteur de front, directement ; dès le début, il sent de quoi l'auteur veut parler. Parmi les ouvrages que vous avez sur votre tablette, prenons par exemple *La ferme des animaux*, de George Orwell : nous sommes immédiatement familiers avec son cadre, même si nous n'avons jamais vécu sur une ferme, et nous saisissons tout de suite son intention allégorique. Nous nous rendons compte qu'un événement réel, la tragédie de la Russie soviétique sous Staline, va faire l'objet d'une analyse grâce à une fable campée sur une ferme imaginaire. Pourvus de cette connaissance, habités par une certaine attente, nous poursuivons la lecture.

Des livres comme ça, probablement la majorité d'entre eux je dirais, jouent sur une subtile interaction entre le familier et l'étrange. Ce qui est familier amène le lecteur à bord, et puis ce qui est étrange l'emmène ailleurs. Les deux éléments sont nécessaires. Un livre qui lui est totalement familier est ennuyeux. Même le type de fiction le plus stéréotypé tente de projeter un sentiment d'incertitude et puis, à la toute fin, rassure le lecteur ou la lectrice que tout est bien comme il ou elle le souhaiterait, le garçon séduisant la fille, ou le détective attrapant le meurtrier. Par contre, un livre ne peut être totalement étranger au lecteur, sinon il n'aurait pas de point d'accès, y pataugerait puis l'abandonnerait.

La promenade au phare, de Virginia Woolf, publié en 1927, va vous laisser patauger un peu. Je vous en prie, n'abandonnez pas. Quant à moi, le livre commence à opérer autour de la vingtième page (soit à la page 29 dans l'édition que je vous envoie). Avant cela, vous serez perplexe, peut-être même légèrement contrarié. Tellement de personnages qui vont et viennent, pas d'intrigue évidente en vue, des diversions et des digressions en abondance – où sont donc la clarté et le rythme de la bonne vieille littérature victorienne ? Mais qu'est-ce que Woolf fabrique donc ?

Eh bien, on ne peut l'affirmer avec certitude – la bonne littérature se prêtant toujours à diverses interprétations – mais, d'après moi, Woolf explore au moins deux choses ici :

1) Elle explore l'esprit, de quelle façon le conscient interagit avec la réalité. L'expérience de Woolf dans ce domaine, avec laquelle j'en suis sûr vous serez familier, en est une de l'intention frappée par l'intrusion, comme un saumon qui remonte le courant. Ses personnages réfléchissent, mais leur pensée est constamment interrompue par des événements qui sont soit d'origine externe – d'autres personnages qui surviennent – soit d'origine interne, l'esprit se distrayant lui-même de sa propre réflexion. Je suis certain que vous connaissez le terme « stream of consciousness ». La technique narrative de Woolf y ressemble. Ce qu'elle explore, dans *La promenade au phare*, n'est pas tant une série ordonnée d'événements – quoiqu'il y en a dans le roman – que l'esprit qui explore ces événements.

2) Elle explore le temps, son effet et l'expérience qu'on en tire, ce qui explique pourquoi elle donne au roman cette cadence qui n'est pas celle du tic-tac régulier d'une horloge, mais plutôt de la réaction subjective des personnages face au temps, qui coule lentement quand les personnages sont absorbés, puis semble sauter des années en un clin d'œil. Est-ce que le temps n'est comme ça pour nous tous, à ramper puis à bondir, comme avance une grenouille ?

Ces deux images d'animaux vous aideront sans doute à lire ce livre. Cherchez à reconnaître le saumon et la grenouille dans *La promenade au phare*.

La prose de Woolf est dense, détaillée et répétitive, mais d'une façon fascinante. Ce n'est pas surprenant qu'un autre roman de Woolf s'intitule *Les vagues*. Ce roman est comme ça : apaisant et mystérieux.

Il est toujours plaisant de connaître quelque chose de l'auteur d'un livre. Virginia Woolf était anglaise. Née en 1882, elle s'est suicidée en 1941. Elle avait des accès de folie, était folle de colère la plupart du temps ; en d'autres mots, elle a souffert périodiquement d'une maladie mentale et elle était toujours furieuse face aux limitations qui étaient imposées aux femmes. Mais Virginia Woolf était surtout une écrivaine expérimentale audacieuse et une très importante figure de proue du féminisme.

Une indication à la fois de son approche littéraire et de son caractère est son goût prononcé pour le point-virgule. Le point est final et sans subtilité, on peut dire de lui qu'il est masculin. La virgule, par ailleurs, est féminine comme certains hommes veulent que soient les femmes, indéfinie et soumise. Woolf favorise plutôt le signe de ponctuation qui correspond le mieux au lieu où elle voulait se situer en tant que femme et en tant qu'écrivaine, un signe comme une porte d'écluse, une ouverture plus grande que pour un point, mais plus au contrôle que pour une virgule, un signe de ponctuation féministe. Woolf est fameuse pour avoir écrit un essai intitulé *Une chambre à soi*, où elle décrit les difficultés d'être une écrivaine dans un domaine dominé par les hommes. Eh bien, sa prose est comme ça, pleine de pensées qui sont liées entre elles mais n'ont pas leur espace dans la grande pièce étouffante d'une seule phrase ; elles habitent plutôt les petites pièces d'une phrase ponctuée par des points-virgules.

Je vous invite à entrer lentement, attentivement, en prenant votre temps, dans les nombreuses pièces de la prose de Virginia Woolf.

Cordialement vôtre,
Yann Martel

Virginia Woolf (1882-1941), auteure britannique prolifique, elle a publié plus de cinq cents essais et des douzaines de romans, de nouvelles et d'ouvrages de non-fiction. *Une chambre à soi*, le plus célèbre de ses livres non romanesques, traite du thème des femmes qui écrivent dans une société dominée par les hommes et se demande pourquoi peu de romancières ont connu le succès à son époque. Parmi d'autres œuvres célébrées, on compte *La promenade du phare*, *Les vagues* et *Orlando*. Elle a épousé l'écrivain Leonard Woolf et ensemble ils ont créé et dirigé la maison d'édition Hogarth Press qui publia T. S. Elliot, Katherine Mansfield et John Maynard Keynes ; ils ont aussi porté à l'attention des lecteurs britanniques les œuvres de Sigmund Freud sur la psychanalyse. Woolf s'est suicidée à l'âge de cinquante-neuf ans.

Livre 28

Read All About It (À lire à tout prix)
de Laura Bush et Jenna Bush.

À Stephen Harper,
premier ministre du Canada,
un livre écrit par deux piliers de la société,
d'un écrivain canadien,
avec ses meilleurs vœux,
Yann Martel

Le 28 avril 2008

Cher Monsieur Harper,

L'envoi de ce livre-ci est inhabituel à plusieurs égards. D'abord, il est tout neuf. Je l'ai acheté le jour même de sa parution. Pas un livre attachant, tout écorné, le réconfort de la visite d'un vieil ami. Non : papier glacé, avec un dos qui craque, neuf avec l'odeur du neuf. Et c'est un livre pour enfants, pas le genre de chose que j'enverrais normalement à un adulte.

Ce qui m'a séduit dans ce livre, c'est son sujet et la profession de ses auteures. *À lire à tout prix* traite de l'attrait et de l'importance de la lecture. Tyrone Brown, le protagoniste, élève de l'École élémentaire Belle Journée, est bon en maths, bon en sciences, bon en sports, mais il n'aime pas lire. Quand Mlle Libro amène les enfants à la bibliothèque de l'école pour leur faire la lecture, Tyrone s'ennuie au maximum. Il préfère rêvasser. Mais un jour que Mlle Libro lit un livre qui parle d'un astronaute, il lui porte attention – et il est fasciné. Tout à coup, son univers est transformé. Il est habité par des fantômes et des dragons, par des personnages historiques comme Benjamin Franklin (ceci est un livre des États-Unis) et, c'est très touchant, par un cochon. Tyrone découvre ainsi que les livres offrent une façon formidable de rêver. Je ne vais pas vous raconter le reste de l'histoire. Vous devrez la lire vous-même.

Les auteures, Laura Bush et Jenna Bush, sont mère et fille ; elles sont maîtresses d'école et, selon la note biographique à l'endos, elles sont « passionnées de lecture ».

Un mot sur les enseignants. Je les adore depuis toujours. Si je n'étais pas écrivain, je serais enseignant. Aucune profession ne me paraît aussi importante que celle de l'enseignement. J'ai toujours trouvé étrange que les avocats et les médecins aient un standing aussi élevé – qui se reflète non seulement dans leurs revenus, mais aussi dans leur statut social – quand, au cours d'une vie normale, saine et sans trop de problèmes, on ne devrait qu'exceptionnellement les consulter. Mais les enseignants nous en avons tous connu, nous avons tous eu besoin. Les professeurs nous façonnent. Ils sont venus dans la noirceur de notre intelligence et ils ont allumé une lumière. Ils nous ont donné des explications et des exemples. Enseigner, c'est un magnifique verbe, un verbe social, qui engage quelqu'un d'autre, alors que les verbes gagner, acheter, vouloir sont des verbes solitaires et creux.

Je pourrais nommer tant de professeurs qui ont marqué ma vie. Et c'est ce que je vais faire. Miss Preston et Madame Robinson furent deux de mes maîtresses d'école au primaire. M. Grant m'a enseigné la biologie, M. Harvey m'a enseigné le latin, M. McNamara et sœur Reid, les maths. M. Lawson et M. Davidson, l'anglais. M. Van Husen et M. Archer, l'histoire. Le formidable M. Saunders, la géographie. Et d'autres encore. Trois décennies ont passé, et je me souviens encore de ces personnes. Où serais-je sans eux, quelle âme frustrée et en colère serais-je devenu ? Il y a une limite à ce que les parents peuvent faire pour former un enfant. Après ça, notre sort repose entre les mains des professeurs.

Et quand nous ne sommes plus des étudiants à proprement parler, il y a les professeurs informels que nous rencontrons en tant qu'adultes, les hommes et les femmes et les enfants qui en savent plus et qui nous montrent à faire mieux, à être meilleurs.

C'est donc dommage de vivre dans une société qui accorde si peu d'importance aux enseignants et aux écoles. Hélas, Monsieur Harper, nous avons échoué dans des temps où la pensée dominante semble être qu'il faut mener nos sociétés comme si elles étaient des entreprises commerciales, guidées par l'impératif du profit. Dans cette vue corporatiste de la société, ceux qui ne génèrent pas de dollars sont considérés indésirables. Tant et si bien que les sociétés riches perdent leur compassion envers les pauvres. Je suis témoin de cette attitude mesquine dans ma propre province actuelle bien-aimée, la Saskatchewan, où le nouveau gouvernement mène, comme je l'ai entendu dire, une « guerre contre les pauvres », et cela en période de prospérité sans précédent. Comme si les pauvres allaient disparaître si on les ignore suffisamment. Comme s'il n'allait pas y avoir de conséquence bien plus grave si les pauvres deviennent plus pauvres. Comme si les pauvres n'étaient pas des citoyens eux aussi. Comme si parmi les pauvres il n'y avait pas d'enfants sans défense.

Eh bien, dans cette course où ils sont largués, les pauvres sont accompagnés par des étudiants. Car investir dans l'éducation d'un enfant de six ans, en prévoyant un retour sur cet investissement dans une quinzaine d'années, quand cet étudiant aura commencé à travailler, à payer des impôts, ce n'est pas un investissement intéressant si on cherche à faire de l'argent rapidement. Alors nous subventionnons nos écoles le moins possible, accablant nos étudiants universitaires de dettes qui frustrent leur habileté à devenir des citoyens qui créent de la richesse. Comment pouvez-vous acheter maison, voiture et électroménagers, comment pouvez-vous contribuer à l'économie si vous êtes écrasé par une dette énorme ? L'agenda corporatiste est ainsi défait par sa propre idéologie.

Les professeurs et enseignants sont à l'avant-garde de la résistance à cette tendance négative. Avec les moyens dont ils disposent, jusqu'à l'usure et l'épuisement, hélas si fréquents, ils maintiennent leur effort pour former des citoyens intelligents, cultivés, bienveillants. Les enseignants et les professeurs sont des piliers de la société.

La plupart des enseignants sont des enseignantes, surtout à l'école élémentaire, tout comme la plupart des lecteurs sont des lectrices. Laura Bush et Jenna Bush, l'une et l'autre à la fois enseignantes et lectrices, sont ainsi typiques. Et on se demande : pendant que les épouses et les filles enseignent et lisent, que font les maris et les pères? Dans notre société, est-ce que la main gauche sait ce que fait la main droite?

Cordialement vôtre,
Yann Martel

Laura Bush (née en 1946), épouse de l'ancien président George W. Bush, a enseigné à l'école élémentaire et a travaillé comme bibliothécaire scolaire. Elle est fondatrice du National Book Festival et présidente honoraire du Laura Bush Foundation for America's Libraries. Durant les mandats présidentiels de son mari, elle a été honorée par la Fondation Elie Wiesel pour l'Humanité et par la American Library Association. Sa fille, **Jenna Bush Hager** (née en 1981) est, elle aussi, enseignante au niveau élémentaire. En 2007, Jenna a écrit *Ana's Story: A Journey of Hope*, qui raconte son expérience de travail avec l'UNICEF en Amérique du Sud.

LIVRE 29

Los Boys
de Junot Díaz

À Stephen Harper,
premier ministre du Canada,
une bouteille aux dix génies,
d'un écrivain canadien,
avec ses meilleurs vœux,
Yann Martel

Le 12 mai 2008

Cher Monsieur Harper,

Le livre joint à cette lettre m'a été chaudement recommandé par un libraire. Je n'en avais jamais entendu parler, non plus que de son auteur. Je me suis dit : et pourquoi pas ? Voici un obscur livre qui a ému au moins un lecteur. Cela lui donne la même valeur que s'il avait ému un million de lecteurs. Un peu plus tard, j'ai mentionné mon choix à une amie et elle a dit : « Ah, il vient tout juste de gagner le prix Pulitzer il y a deux jours. »

Tant pis pour l'anonymat de Junot Díaz. Je vous envoie *Los Boys* (c'est le titre de la traduction française de *Drown*), son premier livre, un recueil de nouvelles. Il est sorti en 1996. Il a fallu onze ans à Díaz pour écrire son deuxième livre, le roman *The Brief Wondrous Life of Oscar Wao* (*La vie brève et étonnante d'Oscar Wao*), qui a remporté le Pulitzer il y a tout juste un mois.

C'est l'un des heureux aspects des prix littéraires. Ils attirent l'attention sur des livres ou des auteurs qui pourraient autrement être ignorés par les lecteurs. La vie de l'écrivain littéraire est généralement invisible, comme le mouvement de la lave sous la surface de la terre. Poèmes, nouvelles et romans sont publiés, ils font l'objet ici et là d'un commentaire, les ventes sont modestes, l'ouvrage tombe dans l'oubli, l'écrivain continue d'écrire. Cela semble ennuyeux, c'est d'habitude financièrement appauvrissant, mais dans l'ombre il y a l'ivresse de la créativité, la bataille avec les mots, le paradis que représentent les journées d'écritures fructueuses, l'enfer des mauvais jours, et, à la fin, le sentiment d'avoir prouvé que le Roi Lear avait tort, que quelque chose *pouvait*, en fait, surgir de rien. Un livre est une bouteille qui abrite un génie. Frottez-la, ouvrez-le, et le génie en sortira pour vous enchanter. Imaginez que vous êtes celui qui a mis le génie dans la bouteille. Oui, c'est un travail vraiment passionnant.

Mais le monde est parsemé de telles bouteilles, et il y en a beaucoup qu'on ne frotte jamais. Il arrive que ce soit juste, il arrive que ce soit injuste. Le temps le dira. Entre-temps, l'écrivain poursuit son labeur.

Et puis un jour, on vous dit que cinq lecteurs et lectrices ont aimé votre livre. Et ce sont les bonnes gens car ils font partie du jury d'un prix littéraire. En fait, ils ont décidé de vous accorder le prix. Et soudain les nuées du monde du livre se séparent et vous entendez une voix retentissante qui dit : « Voici mon fils bien-aimé, sur qui je porte mon affection. » On vous tire cérémonieusement de l'obscurité. Ce n'est pas une expérience désagréable, loin de là. Quant à moi, je suis reconnaissant pour chacun des gestes qu'on a eus envers moi.

Mais si j'ai gagné, cela ne veut-il pas dire que quelqu'un a perdu ? C'est ce qu'il y a de moins attirant dans cette expérience, l'impression d'être devenu un cheval de course qui est en compétition, qu'il y a des gagnants et des perdants. L'histoire peut bien en décider, mais ce n'est pas ce qu'on ressent à l'intérieur. Au-dedans de soi, on est tout seul dans sa boutique avec sa bouteille et son génie.

Revenons-en à Junot Díaz. *Los Boys* est un recueil de dix nouvelles qui font de six à trente-neuf pages. C'est la première fois que je vous envoie des nouvelles. Vous verrez que l'expérience de lecture est différente de celle d'un roman. On change plus souvent d'embrayage, pour ainsi dire. Díaz est un Dominicano-Américain et ses histoires racontent ce qu'un trait d'union signifie pour le sens de l'identité de quelqu'un, ce en quoi il peut être un fossé, un rêve, une tension, une perte. L'anglais du livre est parsemé d'espagnol, le ton est oral et informel, les personnages sont vulgaires et touchants. C'est un univers où les enfants sont laissés à eux-mêmes, où il n'y a pas d'argent et pas de père, pas d'emploi et pas d'espoir, rien que des rues, des mères accablées, des drogues et des relations instables.

Alors en quoi est-ce que ces nouvelles vous aideront à élargir votre quiétude, me demanderez-vous, la quiétude nécessaire pour examiner adéquatement sa propre vie ? Il est possible que la réponse se trouve dans ce passage de la nouvelle « Boyfriend », au sujet d'un couple qui se sépare. L'homme vient à quelques reprises chercher ses affaires :

> Elle le laissait la baiser à chaque fois, en espérant que ça le ferait peut-être rester mais vous savez, quand on réussit à s'évader à une certaine allure, y'a pas de manœuvre qui vous empêche de partir. Je les écoutais faire leur putain de truc et je me disais : Vraiment, y'a rien de plus minable que ces baises d'adieu.

À la surface, c'est dur. En dessous, ce sont blessure et questionnement. Les humains sont des humains, ils essaient de s'en tirer et de donner un sens aux choses. Quel que soit le langage ou la pose, le besoin de quiétude est le même.

Cordialement vôtre,
Yann Martel

Junot Díaz (né en 1968), Américain d'origine dominicaine, romancier et auteur de nouvelles. Sa famille et lui ont déménagé au New Jersey quand il avait six ans. Son premier roman, *The Brief Wondrous Life of Oscar Wao*, est son œuvre la plus connue ; elle lui a valu plusieurs prix, dont le National Book Critics Circle Award et le prix Pulitzer ; on prévoit en faire un film. Díaz enseigne actuellement la création littéraire au Massachusett's Institute of Technology (MIT) et est l'éditeur pour la fiction du *Boston Review*.

Livre 30

La sonate à Kreutzer
de Léon Tolstoï

À Stephen Harper,
premier ministre du Canada,
une musique à la fois belle et discordante,
d'un écrivain canadien,
avec ses meilleurs vœux,
Yann Martel

Le 26 mai 2008

Cher Monsieur Harper,

Encore Tolstoï. Il y a soixante semaines, je vous ai envoyé *La mort d'Ivan Ilitch*, comme vous vous en souviendrez. Cette semaine, c'est *La sonate à Kreutzer*, publiée trois ans plus tard, en 1889. C'est une œuvre très différente. Autant *Ilitch* est un joyau artistique, au réalisme très fluide en apparence, aux personnages parfaitement situés, mais universels, aux émotions exprimées avec finesse, au lyrisme simple et profond, à la description impeccable de la vie et de sa fugacité, en somme, autant *Ilitch* est parfait, autant *La sonate à Kreutzer* est imparfaite. Par exemple, le cadre – un long voyage en train au cours duquel deux passagers conversent – n'est pas très réussi, car presque tout le court roman se limite au discours ininterrompu du personnage principal, Pozdnyshev. Le narrateur anonyme, lui, reste assis là, éberlué, et obligé d'écouter et de se souvenir de la tirade de soixante-quinze pages qui lui est adressée. C'est un procédé aussi malhabile qu'un dialogue de Platon – et en bonne partie sans sa sagesse. *La sonate à Kreutzer* est une longue récrimination contre l'amour, le sexe et le mariage, avec des sorties contre les médecins et les enfants, aboutissant à la description vibrante d'une jalousie démente, tout cela raconté par un assassin qui n'a pas été condamné. Imaginez-vous cela, un homme dans un train qui vous dit : « J'ai tué ma femme, laissez-moi vous raconter l'histoire puisque nous avons toute la nuit. » Je suppose que je ne l'interromprais pas non plus.

Un art imparfait, donc. Quel en est alors l'intérêt ? Eh bien, parce que c'est quand même du Tolstoï. Les gens simples mènent des vies simples. Les gens complexes mènent des vies complexes. La différence entre les uns et les autres tient à l'ouverture de chacun face à la vie. Que la chose soit le résultat d'un malheur – une faiblesse congénitale, une éducation répressive, un manque de possibilités, une nature timide – ou déterminée par la volonté – par l'usage et les abus de la religion ou de l'idéologie, par exemple –, il y a bien des manières pour que la vie de chacun puisse être contrôlée et rendue convenablement simple. La vie de Tolstoï n'était pas contrôlée. Il a vécu d'une manière débridée et sans sourciller. Il prenait tout à bras-le-corps. Il était incroyablement complexe. Il eut donc une vie débordante de ce qui se nomme vie, bonne et mauvaise, sage et insensée, heureuse et malheureuse. De là l'intérêt de son écriture et sa grande portée existentielle. Si la Terre pouvait se rassembler, réunir tout ce qui l'habite, tous les hommes, femmes et enfants, toutes les plantes et tous les animaux, montagnes et vallées, plaines et océans, et se contorsionner en une seule fine pointe et de cette pointe faire celle d'une plume qui écrive, cette plume écrirait comme Tolstoï. Tolstoï, comme Shakespeare, comme Dante, comme tous les grands artistes, c'est la vie elle-même qui parle.

Mais alors que *Ilitch* provoque une consonance chez le lecteur, *La sonate à Kreutzer* provoque une dissonance. Dans ce livre, l'amour entre un homme et une femme n'existe pas vraiment, il n'est qu'un euphémisme pour la luxure. Le mariage est la prostitution institutionnalisée, une cage où la fornication s'accomplit tristement. Les hommes sont dépravés, les femmes haïssent la sexualité, les enfants sont un poids, les médecins sont des tricheurs. La seule solution est l'abstinence sexuelle totale, et si cela veut dire que c'est la fin de l'espèce humaine, tant mieux, Car sans cela les hommes et les femmes seront toujours malheureux ensemble et certains hommes seront poussés à tuer leur femme. C'est une vision glauque, excessivement négative des relations entre les sexes, une réflexion sur les frustrations de Tolstoï par rapport aux restrictions sociales de son époque, sans doute, mais qui allait quand même trop loin, était pernicieuse, répréhensible. De là son effet, le scandale qui accompagna la publication et les réactions face à l'œuvre jusqu'à notre époque. C'est bien vrai que Tolstoï va trop loin dans *La sonate à Kreutzer*, mais il y exprime quand même tous les éléments – l'hypocrisie et l'indignation, la culpabilité et la colère – qui se trouvaient au cœur de la plus grande des révolutions du XXe siècle : le féminisme.

Par ailleurs, ce deuxième livre de Tolstoï a été un choix de dernière minute. J'avais cru qu'il y avait un tel univers de livres à partager avec vous qu'une seule œuvre comme présentation de chaque auteur serait suffisante. Après cela, si vous étiez intéressé, vous pourriez chercher d'autres œuvres de l'un ou de l'autre des auteurs.

Mais je voulais, cette semaine, un livre qui parle de musique. (J'ai oublié d'expliquer le titre de la nouvelle de Tolstoï. La femme de Pozdnyshev est une pianiste amateur. Le couple rencontre un violoniste amateur accompli du nom de Trukhashevsky. L'épouse et lui deviennent amis, en toute innocence, grâce à l'attachement pour la musique qu'ils partagent. Ils décident de jouer ensemble *La sonate à Kreutzer*, pour piano et violon, de Beethoven. En coulisse, le mari devient de plus en plus furieux.) Pourquoi un livre sur la musique ? Parce que la musique sérieuse, en tout cas celle qui est représentée par la musique nouvelle et la musique classique, est en train de disparaître rapidement de nos vies en tant que Canadiens et Canadiennes. J'en ai vu récemment et tardivement l'une des preuves : on va dissoudre l'Orchestre de la radio de la CBC. Déjà qu'on avait sabré dans la part de musique à la radio d'État. Il y eut pendant un temps, M. Harper, une émission intitulée *Two New Hours* à la CBC, dont l'animateur était Larry Lake. On y jouait de la musique nouvelle canadienne. Son dernier créneau à l'horaire était le moins désirable qu'on puisse avoir : le dimanche, de vingt-deux heures à minuit, trop tard pour les couche-tôt, trop tôt pour les oiseaux de nuit. Avec une diffusion à cette heure-là, on comprend que peu de gens aient saisi l'occasion de l'écouter. Quand je l'écoutais, cependant, j'en étais reconnaissant. La musique nouvelle est un drôle de cadeau. C'est, si je la saisis bien, une musique qui s'est libérée. Libérée des règles, des formes, des traditions, des attentes. De la musique à la limite. De la musique d'un nouveau monde. L'anarchie en musique. Ce qui pouvait expliquer les violons qui grincent, les pianos devenus fous, les drôles de bruits électroniques.

J'ai de très beaux souvenirs d'écoute de *Two New Hours*, où je ne faisais que cela, écouter. Car il est, en effet, impossible de lire pendant que votre radio diffuse ce qui ressemble à deux tracteurs qui font l'amour. Je suppose que je suis plus intolérant quand il s'agit de l'écriture – intolérant, jaloux, ennuyé, je ne sais. Mais j'écoutais *Two New Hours* par pure curiosité. Et j'étais surpris, ému, fier qu'il y ait quelque part des créateurs qui réagissaient avec autant de fraîcheur et de sérieux aux interrogations de notre monde. Car la chose était claire pour moi : ce travail était sérieux, même si ses sons semblaient étranges. C'était une musique qui, sous quelque forme qu'elle soit, était la voix d'une personne en particulier qui tentait de communiquer avec moi. Et j'écoutais, excité par la nouveauté de la chose. C'est-à-dire que j'écoutais jusqu'à ce que l'émission soit retirée des ondes.

Et maintenant l'Orchestre de la radio de la CBC, le dernier orchestre radiophonique d'Amérique du Nord, va être lui aussi dissout. Il n'y aura plus de « C'était _____, interprété par l'Orchestre de la radio de la CBC dirigé par Mario Bernardi » comme je l'ai entendu pendant des années. Qui va nous jouer notre Bach et notre Mozart, maintenant, en plus de notre R. Murray Schaffer et de notre Christos Hatzis ?

Je n'en reviens pas qu'en ces temps où le Canada profite de la valeur des produits de base pour atteindre une richesse sans précédent, tandis que la plupart des niveaux de gouvernement jouissent de surplus budgétaires, nous nous débarrassions d'un simple petit orchestre. Si c'est notre comportement quand nous sommes fortunés, qu'est-ce que ce sera quand cette fortune sera moindre ? De combien de pans de notre culture pouvons-nous nous passer avant de devenir des automates corporatifs sans vie ?

Je crois que, dans les bonnes périodes comme dans les mauvaises, nous avons besoin de belle musique.

Cordialement vôtre,
Yann Martel

LIVRE 31

Leurs yeux observaient Dieu (Une femme noire)
de Zora Neale Hurston

À Stephen Harper,
premier ministre du Canada,
un roman incandescent,
d'un écrivain canadien,
avec ses meilleurs vœux,
Yann Martel

Le 9 juin 2008

Cher Monsieur Harper,

Il y a des voix qu'on entend à peine. Elles se parlent entre elles, des mondes dans leur monde. Et puis quelqu'un écoute, leur donne une expression artistique, et la perte est moindre, car ces voix deviennent éternelles. Tel est le succès de l'auteure américaine Zora Neale Hurston (1891-1960) et de son chef-d'œuvre *Leurs yeux observaient Dieu* – meilleure traduction du titre, je dirais, que la version publiée : *Une femme noire*. Vous remarquerez le langage tout de suite. Il y a deux voix dans le roman. Il y a d'abord la voix narrative qui encadre l'histoire. Elle est lyrique, pleine de métaphores et formelle. Voyez les deux premiers paragraphes du roman :

Ships at a distance have every man's wish on board. For some they come in with the tide. For others they sail forever on the horizon, never out of sight, never landing until the Watcher turns his eyes away in resignation, his dreams mocked to death by Time. That is the life of men.

Now, women forget all those things they don't want to remember, and remember everything they don't want to forget. The dream is the truth. Then they act and do things accordingly.

L'autre voix est celle des personnages, et c'est bien différent. Ils parlent le jargon afro-américain, et vous vous étonnerez de voir l'anglais faire de telles voltiges. Un exemple pris au hasard :

« Well, all right, Tea Cake, Ah wants tuh go wid you real bad, but, – oh, Tea Cake, don't make no false pretense wid me ! »
« Janie, Ah hope God may kill me, if Ah 'm lyin'. Nobody else on earth kin hold uh candle tuh you, baby. You got de keys to de kingdom. »

Ce n'est pas mignon, ce n'est pas folklorique, ce n'est pas condescendant. L'effet en est plutôt de renouvellement du langage. On lit – on entend – comme si on entendait pour la première fois. Et ce que vous entendrez, c'est l'histoire de Janie Crawford, une femme noire dans l'odyssée de découverte de soi, avec ses leçons durement apprises, racontée à travers ses trois mariages.

L'élément le plus significatif de la vie de Zora Neale Hurston – plus significatif encore que le fait qu'elle ait été une femme – était qu'elle était noire. Il est inconcevable que ses écrits – soit quatre romans, deux livres de folklore, une autobiographie et plus de cinquante textes plus courts – aient été les mêmes si elle avait été blanche. Elle était noire dans une société blanche qui pendant deux cents ans avait maintenu les noirs en esclavage. Elle était noire dans une société qui au mieux était fondée sur la race, et au pire était raciste. J'imagine que chaque jour de sa vie elle a eu des contacts et subi des regards et des restrictions qui lui rappelaient la couleur de sa peau, et le sens que cela revêtait.

C'est difficile, quand on évoque perpétuellement un élément particulier de votre identité, que ce soit la couleur de votre peau, la forme de votre corps, votre orientation sexuelle, votre héritage ethnique, n'importe quoi, de ne pas vous attarder et vous complaire sur cet élément, de ne pas devenir aigri. Et pourtant, le miracle de l'art de Hurston est qu'elle réussisse à ne pas se complaire dans l'amertume. *Leurs yeux observaient Dieu* n'est pas une diatribe contre l'Amérique raciste, même si on y trouve facilement des exemples de racisme. C'est plutôt un roman incandescent au sujet d'un personnage dont toute l'humanité et tout le destin sont explorés – et il se trouve que ce personnage est une femme noire.

Je pense que si vous lisez le premier chapitre de *Leurs yeux observaient Dieu*, vous allez lire les dix-neuf autres. Vous connaîtrez Janie et Tea Cake, l'amour et la boue, le bonheur et le désastre. Et la valeur de tout ça – en plus d'avoir été diverti – est que pendant toute la durée d'une histoire vous aurez pénétré dans l'existence d'une femme afro-américaine. Vous aurez entendu des voix que vous n'auriez peut-être jamais entendues autrement.

Cordialement vôtre,
Yann Martel

P.-S. Parmi les joies de l'achat de livres usagés, il y a les trésors inattendus qu'on y trouve parfois. Par exemple : de votre copie de Leurs yeux *un cliché est tombé. Une photo de groupe. Rien d'inscrit au verso. Neuf personnes en camping : cinq femmes, trois hommes et une fillette en gilet de sauvetage. Même si le cliché a été pris en toute simplicité, remarquez-en l'excellente qualité, comment les personnes sont placées d'une manière plaisante et esthétique, le regard pouvant se déplacer en une courbe harmonieuse depuis la femme assise à gauche jusqu'à la fillette à la droite ; voyez comme tout le groupe est légèrement décentré pour donner l'impression que le cliché n'est pas étudié, comme les éléments extérieurs sont discrets et pourtant révélateurs. J'ai été frappé par le fait que le groupe soit disposé dans la forme d'un œil. Nous pensons que nous regardons ces gens, mais en fait, ils sont un œil qui nous fait un clin d'œil. C'est peut-être la raison pour laquelle ils sourient, réjouis par le tour qu'ils nous jouent, l'observateur observé. Je me demande quelle est l'histoire de ces personnes. De toute évidence, ce sont les membres d'une famille. Est-ce que c'était leur livre ? Qui parmi eux l'a lu ? Quelle est leur histoire, quelles sont leurs voix ?*

Zora Neale Hurston (1891-1960) a fait partie de la Renaissance de Harlem dans les années vingt. Elle a publié quatre romans, deux livres de folklore, une autobiographie et plus de cinquante essais, articles, nouvelles et pièces de théâtre. Son roman le plus répandu, traduit sous le titre *Leurs yeux observaient Dieu* ou *Une femme noire*, est écrit dans une langue vernaculaire fluide et expressive, un choix stylistique audacieux qui donna une voix littéraire nouvelle aux Afro-Américains. L'intérêt pour son œuvre fut ravivé en 1975, grâce à un article publié dans *Ms. Magazine* par Alice Walker sur les écrits de Zora Neale Hurston.

Livre 32

Les sœurs de la réserve
de Tomson Highway

À Stephen Harper,
premier ministre du Canada,
d'un écrivain canadien,
avec ses meilleurs vœux,
Yann Martel

Le 23 juin 2008

Cher Monsieur Harper,

Jusqu'ici, s'il y a un geste de votre gouvernement qui va résister au passage du temps, ce sont les excuses formelles aux victimes du système fédéral de pensionnats pour les autochtones. Les politiques vont et viennent, sont changées et sont oubliées, mais des excuses, cela reste. Des excuses, ça change le cours de l'histoire. C'est la première étape en vue d'une véritable guérison et d'une réconciliation. Je vous félicite de ce geste symbolique important.

Puisque vous avez récemment porté votre attention sur les premiers habitants du Canada – et puisque la Journée nationale des aborigènes a été célébrée il y a tout juste deux jours –, il est opportun que je vous fasse parvenir la pièce de Tomson Highway, *Les sœurs de la réserve*. Cette œuvre aussi a une importance historique. Il y a une biographie particulièrement longue de l'auteur au début du livre, quatre pages entières, où vous pourrez vous familiariser avec la vie de Tomson Highway, au moins jusqu'en 1988, quand la pièce a été publiée.

Ce qui n'est pas mentionné dans la biographie, c'est la synergie qui s'est développée à Toronto au milieu des années quatre-vingt au sein du monde culturel autochtone. Soudainement, le temps était mûr, certains indigènes se sont réunis et ont accompli ce qu'ils n'avaient presque jamais fait jusque-là : ils ont parlé. La compagnie de production Native Earth Performing Arts a été fondée en 1982 afin de donner une voix à la dramaturgie, à la danse et à la musique autochtones. Auparavant, sauf pour les gravures et les sculptures inuites et les mémoires de Maria Campbell, *Half Breed*, il n'y avait pratiquement aucune expression autochtone sur la scène culturelle canadienne. Native Earth allait changer cela. En plus de Tomson Highway, la compagnie a lancé les carrières d'écrivains tels que Daniel David Moses et Drew Hayden Taylor.

Lors de la première des *Sœurs de la réserve*, en novembre 1986, les acteurs durent sortir dans les rues et demander à des passants de venir voir la pièce. Eh bien, ces premiers spectateurs apprécièrent ce qu'ils virent et le bouche-à-oreille fit le reste. Ce fut un grand succès. L'œuvre a été vue par de vastes auditoires ; elle fut présentée en tournée à travers le pays et montée au Festival de théâtre d'Édimbourg.

Comme votre dernier livre, *Leurs yeux observaient Dieu*, de Zora Neale Hurston, la force des *Sœurs de la réserve* tient à ses personnages. Sept femmes – Pelajia Patchnose, Philomena Moosetail, Marie-Adèle Starblanket, Annie Cook, Emily Dictionary, Veronique St Pierre et Zhaboonigan Peterson – vivent sur la réserve indienne Wasaychigan Hill, sur l'île de Manitoulin. La vie là-bas est comme la vie partout ailleurs, avec ses hauts et ses bas. Puis arrive une nouvelle d'énorme importance : on va organiser à Toronto LE PLUS GRAND BINGO AU MONDE. Et savez-vous quel est le gros lot du PLUS GRAND BINGO AU MONDE ? Quelque chose de GROS. Les rêves que comblerait ce gros lot sont au cœur de la pièce. C'est une comédie, une de celles qui vous font rire tout en vous laissant une bonne dose de tristesse. Les stéréotypes sont établis, puis on s'en moque, mais ce n'est pas une pièce ouvertement politique, et de là vient sa résonance universelle. Nous ne sommes pas tous des femmes autochtones sur une réserve, nous ne sommes peut-être pas des accros du bingo, mais nous avons tous des rêves et des préoccupations.

Il y a un dernier personnage de la pièce qui doit être mentionné. Nanabush, à travers ses diverses incarnations, est tout aussi important dans la mythologie indigène que le Christ l'est dans le monde chrétien. Mais il y a quelque chose d'enjoué chez Nanabush qui est absent de notre représentation du Christ. Dans *Les sœurs de la réserve*, il figure sous l'apparence d'une mouette ou d'un engoulevent. Il danse, il sautille, il dérange. Marie-Adèle, qui souffre d'un cancer, et Zhaboonigan, qui a subi un viol brutal, sont les deux seules à interagir ouvertement avec lui. Il est l'ange de la mort, mais aussi l'esprit de la vie. Il plane au-dessus de quasi toute la pièce.

Cordialement vôtre,
Yann Martel

Tomson Highway (né en 1951), auteur et dramaturge canadien d'origine crie mieux connu pour ses pièces *Les sœurs de la réserve* et *Dry Lips Oughta Move to Kapuskasing* qui lui ont l'une et l'autre mérité le prix Dora Mavor Moore. Il est aussi l'auteur du roman à succès *Kiss of the Fur Queen*. Les écrits de Highway mettent de l'avant des personnages autochtones qui vivent sur des réserves et ils traitent aussi de la spiritualité autochtone. Il continue de défendre les questions concernant les Premières Nations canadiennes et de révéler les injustices et les défis auxquels elles font face. Highway est également un pianiste de concert talentueux et est reconnu pour son humour. Il prépare actuellement la production de sa troisième pièce, *Rose*.

Livre 33

Persepolis
de Marjane Satrapi

À Stephen Harper,
premier ministre du Canada,
ce voyage en chaise longue en République islamique d'Iran,
d'un écrivain canadien,
avec ses meilleurs vœux,
Yann Martel

Le 7 juillet 2008

Cher Monsieur Harper,

Au milieu des années quatre-vingt-dix, en compagnie d'une jeune femme, j'ai fait un voyage en Iran. En deux mois, nous avons peut-être rencontré une vingtaine de voyageurs occidentaux, tous détenteurs de visas de transit, poursuivant rapidement leur route le long du corridor central tracé de la frontière de la Turquie à celle du Pakistan. Nous étions, nous, intéressés à l'Iran de manière spécifique, et non au trajet Europe-Asie, et nous avions réussi à obtenir un visa de tourisme. Nous nous sommes promenés partout au pays, ne visitant pas seulement Téhéran, Ispahan et Shiraz, des villes dont vous avez sans doute entendu parler, mais d'autres encore : Tabriz, Rasht, Mashhad, Gorgan, Yazd, Kerman, Bandar Abbas, Bam, Ahvaz, Khorramabad, Sanandaj. (Excusez la longue liste de noms : ils n'évoquent peut-être rien pour vous, mais chacun d'entre eux entrouvre chez moi tout un livre de souvenirs.) Nous avons également visité des temples du feu de Zoroastre dans le désert. Nous avons fait l'ascension d'une ancienne ziggourat. Nous avons pris des ferrys vers des îles. Nous nous sommes reposés dans des oasis.

J'ai souvent constaté que, sauf pour les zones de guerre, un lieu étranger n'est jamais aussi dangereux que lorsqu'on en est éloigné. Plus on s'en approche, plus les distorsions causées par la peur et les malentendus disparaissent, de telle façon que, dans ce cas-ci, la perception que nous avions de la République islamique d'Iran, cet endroit terrifiant qui capta l'attention du monde entier autour du fanatisme religieux, avec ses femmes opprimées vêtues de noir de la tête aux pieds, avec ces gens qui se flagellaient en public et ces fontaines qui crachaient une eau rouge sang, ce pays-là disparut une fois que nous y fûmes entrés pour être remplacé par cette personne-ci ou cette personne-là, devant nous, amicale, nous observant avec curiosité, cherchant à être agréable mais incertaine de son anglais.

S'il y a un défi que l'Iran nous a imposé, ce fut de remettre en question nos attentes. Par exemple, pendant tout le temps où nous étions là, à parler librement avec des hommes et des femmes de toutes les classes sociales, depuis les paysans pauvres jusqu'à la classe moyenne urbaine, des plus dévots aux plus séculiers, nous n'avons pas rencontré, pas une seule fois, une personne qui se plaigne de la vie dans une république islamique. Un gouvernement se doit d'être le miroir dans lequel son peuple se voit et se reconnaît. Eh bien, les Iraniens que nous avons connus se reconnaissaient dans leur démocratie islamique. La seule récrimination que nous ayons entendue, à maintes reprises, concernait l'état de l'économie. Les Iraniens et Iraniennes se lamentaient du manque d'argent, non du manque de liberté.

Il n'y avait pas grand-chose à faire pour se distraire dans l'Iran de cette époque-là. Il s'agissait, et il s'agit sans doute encore, selon les critères occidentaux, d'une société austère, dans laquelle on accorde peu d'espace et peu de ressources aux cinémas, aux salles de concerts, aux complexes sportifs et choses du genre. Et il n'y avait bien sûr ni bars ni discos. L'Iran était un endroit sobre, littéralement et métaphoriquement. Alors les Iraniens faisaient ce qui était le plus accessible : ils se fréquentaient entre eux. Cela donne un peuple doté des qualités de contact social les plus bienveillantes, les plus raffinées que j'aie jamais vues, des gens qui, quand ils vous rencontrent, vous rencontrent véritablement, vous accordent la totalité de leur attention. Tant les Iraniens que les Iraniennes que nous avons connus étaient ouverts, curieux, généreux, extraordinairement hospitaliers et d'inépuisables moulins à paroles.

Et les horreurs de l'intégrisme ? Ceux qui nous ont donné la fatwa contre Salman Rushdie ? L'oppression des femmes ? Tout cela aussi est vrai. Mais y a-t-il quelque endroit irréprochable ? Les gens d'Iran sont comme les gens partout ailleurs : ils veulent être heureux et vivre en paix, avec un minimum de bien-être matériel. Les règles de leur société, leurs valeurs – les moyens grâce auxquels ils espèrent trouver le bonheur – sont différentes des normes du Canada, et alors ? Ils ont leurs problèmes, nous avons les nôtres. Laissons-les se débrouiller avec les leurs comme nous espérons nous débrouiller avec les nôtres. Le progrès ne peut pas être provoqué de l'extérieur ; il doit croître naturellement depuis le cœur d'une société et pas autrement.

Un voyage aussi révélateur que celui que j'ai eu la chance de faire n'est pas possible pour tous. Le travail, la famille et le peu de goût pour les voyages peuvent fort bien empêcher quelqu'un de visiter cet endroit-ci ou celui-là à l'étranger. Et c'est là que les livres interviennent. Le voyageur en chaise longue peut être aussi bien informé que le routard avec son sac à dos qui voyage à la dure, pourvu qu'il ou elle lise les bons livres. Les voyages, que ce soit par soi-même, avec ses pieds, ou sans bouger, par les livres, rendent l'endroit que l'on visite plus humain. Un peuple peut ainsi apparaître dans ses particularités, bien loin de la caricature ou de la calomnie.

On en arrive donc à *Persepolis*, de Marjane Satrapi. C'est un roman illustré, le deuxième que je vous envoie après *Maus*, d'Art Spiegelman. C'est un livre charmant, drôle, triste et révélateur. Il se présente du point de vue d'une fillette de dix ans, Marjane. Elle est comme toutes les fillettes de dix ans, partout au monde, qui vivent dans leur propre univers en partie imaginaire – sauf qu'on est en 1979 et elle vit en Iran. Il y a une révolution qui se prépare, une révolution que sa famille de la classe moyenne va d'abord accueillir avec joie parce qu'elle fera tomber le régime horriblement corrompu et brutal du Shah, mais une révolution qui sera plus tard détestée à cause des excès qui l'accompagneront. C'est une histoire qui sonne juste parce que c'est l'histoire d'une personne qui la raconte telle qu'elle l'a observée.

Je vous encourage à lire *Persepolis* et à saisir au passage un peu de l'Iran que j'ai visité il y a quelques années. Si vous y prenez plaisir, sachez qu'il existe un *Persepolis 2* qui poursuit l'histoire de Marjane, et il y a aussi le film.

Cordialement vôtre,
Yann Martel

Marjane Satrapi (née en 1969), écrivaine irano-française aux multiples talents. D'abord auteure de romans illustrés, elle écrit et illustre aussi des livres pour enfants. Elle est surtout connue pour son roman-bande dessinée autobiographique *Persepolis* et sa suite *Persepolis 2*. Elle y rappelle son enfance en Iran et son adolescence comme étudiante en Europe. *Persepolis* a reçu le Prix du Coup de Cœur d'Angoulême, fut plus tard adapté en un film d'animation qui a retenu l'attention au Festival de Cannes. Elle a étudié l'illustration à Strasbourg et elle vit à Paris.

LIVRE 34

L'œil le plus bleu
de Toni Morrison

À Stephen Harper,
premier ministre du Canada,
d'un écrivain canadien,
avec ses meilleurs vœux,
Yann Martel

Le 21 juillet 2008

Cher Monsieur Harper,

Ah, les désastres que cause le cœur ! Et quelle tristesse, alors que tant était possible. Le roman de Toni Morrison *L'œil le plus bleu* est incroyablement court – à peine cent soixante pages – si l'on considère tout ce qu'il contient de douleur, de tristesse, de colère, de cruauté, d'espoirs déçus, de descriptions, de personnages, d'épreuves, de tout ce qui fait qu'un livre est un grand roman. Une fois de plus, comme bon nombre d'œuvres que je vous ai envoyées, au départ vous pourriez être tenté de penser : « Cette histoire ne va rien me dire. » Après tout, une intrigue qui se déroule à Lorain, en Ohio, au début des années quarante, principalement racontée d'un point de vue d'enfants ; une troupe de personnages qui sont pauvres et dont la peau ne les rend pas tant distincts de vous et de moi parce qu'ils sont noirs que parce qu'ils viennent d'un univers lointain ; une perspective féminine et féministe – il y a bien des choses dans cette histoire qui commence là où ni vous ni moi ne sommes jamais allés.

Et pourtant ce roman vous interpellera. Lisez, lisez au delà des premières pages, plongez dans l'histoire comme vous le feriez dans un lac glacé – et vous allez trouver qu'il est plus chaud que vous ne pensiez, que vous êtes en fait très confortable dans ses eaux. Vous allez constater que les personnages – Claudia, Frieda, Pecola – sont plutôt familiers puisque vous avez vous-même été un enfant, et vous allez trouver que la cruauté, le racisme, l'inégalité ne nous sont pas si inconnus non plus, puisque nous avons tous subi la méchanceté du cœur humain, soit parce que nous en avons souffert, soit parce que nous avons été celui qui a fait souffrir.

Façonner de l'art, je vous l'ai sans doute déjà mentionné, exige beaucoup de travail. À cause de cela, il est implicitement constructif. On ne travaille pas autant pour ensuite détruire. Chacun espère plutôt construire. Quelle que soit la cruauté ou la tristesse que contienne une histoire, son effet produit toujours le contraire. Alors qu'une histoire joyeuse est prise joyeusement, une histoire cruelle est prise ironiquement, c'est-à-dire qu'elle produit chez le lecteur un retournement de situation le poussant à rejeter la cruauté. L'art est donc naturellement tolérant : il nous encourage à l'ouverture et à la générosité, cherche à déverrouiller des portes en nous. J'ai l'impression que c'est l'effet que *L'œil le plus bleu* aura sur vous, avec ses nombreuses vies gâchées par la pauvreté, étouffées par le racisme, brisées par la cruauté aléatoire. Vous allez ressentir plus intensément la souffrance des autres, même si vous croyiez au début être totalement différent d'eux.

Cordialement vôtre,
Yann Martel

Toni Morrison (née en 1931), de son vrai nom Chloe Anthony Wofford, Américaine auteure de romans, de nouvelles, d'histoires pour enfants et d'essais. Parmi ses livres les plus connus, on compte *L'œil le plus bleu*, *Le chant de Salomon* et *Beloved*. Elle est membre de l'American Academy of Arts and Letters et elle a gagné de nombreux prix, dont le prix Pulitzer et, en 1993, le prix Nobel de littérature. En plus de sa carrière d'écrivaine, elle a été critique littéraire, conférencière, éditrice, professeure et chef de département dans plusieurs universités.

LIVRE 35

Under Milk Wood
de Dylan Thomas

À Stephen Harper,
premier ministre du Canada,
d'un écrivain canadien,
avec ses meilleurs vœux,
Yann Martel

Le 5 août 2008

Cher Monsieur Harper,

Votre tout dernier livre sera en retard cette semaine. J'en suis navré. Ce n'est pas le fait de la longue fin de semaine. Comme la plupart des travailleurs autonomes, je suis bien d'accord pour travailler les week-ends et les jours de fête puisque si je ne fais pas le boulot, personne ne le fera à ma place. La raison est autre. Le livre qui accompagne cette lettre, *Under Milk Wood*, du poète gallois Dylan Thomas (1914-1953) est une œuvre d'un lyrisme tel qu'il ne suffit pas seulement de la lire, il faut l'entendre. J'ai donc pensé vous envoyer aussi une version audio, en plus du texte imprimé. Il en existe une célèbre lecture enregistrée, où Dylan Thomas lui-même lit plusieurs rôles, lecture réalisée à New York à peine deux mois avant la mort de l'écrivain ; ma famille possède un microsillon de cette lecture, mais je ne saurais m'en séparer et, même si c'était le cas, je ne crois que vous ayez de tourne-disque sous la main. L'enregistrement plus récent que j'ai trouvé pour vous, un CD, est une production de la BBC et la poste tarde à me le livrer. D'où le retard.

Un mot sur les livres enregistrés. Est-ce que vous en avez déjà écouté un ? J'ai fait une virée du Yukon en automobile il y a quelques années et j'en ai apporté quelques-uns, pour en tester l'intérêt. Je m'attendais à ne pas trop apprécier qu'une voix me murmure une histoire sans arrêt alors que le spectacle majestueux du Grand Nord canadien se déroulerait devant mes yeux. Une chanson populaire de trois minutes, ça peut aller, mais une histoire qui dure douze heures ? Je pensais que ça me rendrait fou. J'avais tort. Je vous préviens : les livres audio créent une véritable accoutumance. L'origine du langage est orale, et non écrite. Nous avons parlé avant d'écrire, non seulement enfants, mais en tant qu'espèce. C'est quand ils sont prononcés que les mots acquièrent leur pleine puissance. Si la parole écrite est la recette, alors la parole prononcée à haute voix est le mets apprêté, puisque la voix ajoute un ton, un accent, une intensité, une émotion. Vous conviendrez avec moi, j'en suis sûr, que la qualité de l'art oratoire dans la vie publique canadienne et américaine s'est détériorée ces dernières années. Barack Obama se trouve là où il est, à portée de la présidence des États-Unis, en partie, d'après moi, grâce au talent dont il est doué pour élever ses paroles, pour en faire des discours édifiants et convaincants. C'est un don inhabituel. La plupart des orateurs, de nos jours, sont laborieux. En cela, les acteurs font grandement exception. Leur capacité de parler en public est splendide parce qu'elle est à la racine même de leur art. Et ce sont des acteurs qui lisent les histoires des livres enregistrés. La combinaison des mots judicieusement choisis d'un écrivain avec la lecture habilement rendue d'un acteur forme un ensemble qui est envoûtant. Maintes fois, au cours de mon voyage au Yukon, je ne pouvais sortir de la voiture tant qu'un chapitre n'était pas terminé. Et puis le lendemain matin, j'avais hâte d'écouter le suivant. Aussitôt qu'une histoire était terminée, je m'empressais d'en commencer une autre. Depuis, chaque fois que je fais un voyage en voiture, je passe par la bibliothèque publique pour choisir une série de livres audio.

On parle de la possibilité de la tenue d'élections cet automne. Cela veut dire que vous devrez beaucoup vous déplacer. Je vous suggère de glisser quelques livres enregistrés dans vos bagages pour ces longs voyages, en autobus ou en avion, que vous devrez entreprendre. Mon seul conseil serait d'éviter les versions abrégées. Sinon, il y a pour vous un grand choix. Les romans policiers sont particulièrement efficaces – tout comme la poésie.

Ce qui nous ramène à *Under Milk Wood – Au bois lacté* dans une version française. Dylan Thomas est sans doute l'un des poètes les plus célèbres de la planète. Il possédait une qualité rare chez les bardes modernes : une personnalité publique démesurée. Son aura d'écrivain grand buveur à la vie excessive, et qui, en plus, mourut jeune – c'est toujours un avantage pour son éternité de mourir jeune – a fait que sa poésie, par ailleurs d'une qualité authentique, accède au statut de culte populaire. On retrouve ses poèmes dans toutes les anthologies. Vous avez sûrement entendu parler de « Do Not Go Gentle into That Good Night ».

Under Milk Wood est une pièce radiophonique. Vous pourriez croire qu'il s'agit donc d'une succession d'échanges précis et rapides où quelques voix faciles à distinguer sont soutenues par des effets sonores clairs. Il n'en est rien. Il n'y a pour ainsi dire aucune intrigue, rien qu'une journée dans la vie d'un village du Pays de Galles appelé Llareggub. Si vous lisez ce nom à l'envers, en anglais, vous verrez ce que Dylan Thomas pensait qu'on trouvait à faire dans les villages gallois, que dalle. Mais la vie y est quand même bonne, et c'est ce qui se trouve au cœur d'*Under Milk Wood* : une célébration de la vie. Grâce à ses incroyablement nombreuses voix distinctes, soixante-neuf en tout, l'œuvre a un effet symphonique. Ce qui soutient l'ensemble, ce qu'on pourrait appeler sa mélodie, c'est le don du langage chez Dylan Thomas. Ses mots décrivent, imitent, bouillonnent, scintillent, courent, s'arrêtent, amusent, surprennent, enchantent. C'est de la plus pure beauté verbale.

Beauté – un mot qui est beaucoup utilisé. Mais comme pour bien d'autres mots qu'on utilise tout le temps – « bon », « équitable », « juste », par exemple –, si nous y regardons de plus près, nous découvrons que derrière le cliché se cache une odyssée philosophique qui remonte aussi loin que l'origine de la pensée humaine. Bien évidemment, la beauté nous émeut, nous motive, nous pique, nous forme. Je ne vais pas, dans cette lettre, tenter de définir ce qu'est la beauté. Mieux vaut vous laisser y penser, ou faire une recherche sur le sujet. Si vous poursuivez sérieusement votre questionnement, vous vous trouverez dans un vecteur de philosophie occidentale qui vous mènera aussi loin que Pythagore (qui liait beauté et symétrie) ; et puis, évidemment, tout l'art visuel, qui se préoccupe immanquablement de la beauté. Il y a là de quoi occuper un esprit studieux ; il y en a pour une vie entière.

Je vais m'en tenir à un aspect beaucoup plus étroit, la question de la beauté et du prosateur. L'écrivain a plusieurs outils à sa disposition pour raconter une histoire : la mise en place de personnages, d'une intrigue et de descriptions sont quelques-uns parmi les moyens les plus évidents. Si vous racontez une histoire prenante dont les personnages sont crédibles dans un cadre convaincant, vous avez réussi votre coup. Selon l'écrivain, l'un de ces éléments peut prévaloir sur les autres. Un roman de John Grisham ou de Stephen King mettra de l'avant une intrigue substantielle, accompagnée d'un peu de description, mais les personnages peuvent ne servir qu'une trame narrative. Un écrivain comme John Banville, par ailleurs (le connaissez vous ? C'est un Irlandais au style extraordinaire), tiendra beaucoup moins compte de l'intrigue, mais ses personnages et ses descriptions seront d'une richesse inouïe. Et ainsi de suite. Chaque écrivain, selon ses forces et ses intérêts, calibrera différemment les ingrédients propres à la création d'une histoire.

S'il y a une chose constante chez tous les écrivains, cependant, c'est la beauté. Tout écrivain, à sa manière, aspire à la beauté littéraire. Cela peut signifier un splendide développement de l'intrigue, d'une élégante simplicité. Ou bien ça peut être l'habileté à peindre avec des mots, à tracer des portraits si réalistes de personnages ou de lieux que le lecteur en vient à croire qu'il « voit » ce que l'écrivain décrit. Habituellement, l'écrivain aux ambitions sérieuses aspire à une belle écriture : c'est-à-dire une écriture qui, grâce à un vocabulaire approprié, une syntaxe heureuse et une cadence plaisante fera s'émerveiller le lecteur. Je vous fais la promesse que si un jour vous serrez des mains et que vous vous trouvez devant un écrivain ou une écrivaine et que. ne sachant trop quoi lui dire, vous lui dites « C'est beau, ce que vous faites », vous allez lui faire grand plaisir. Il ou elle saura exactement ce que vous voulez dire, que vous ne parlez de rien d'autre que de sa façon de mettre les mots sur la page. et cet artiste rougira de plaisir, rayonnera, fondra presque devant votre compliment.

Mais – il y a toujours un mais – il faut faire attention à la beauté. Partout dans la vie. Dans notre société excessivement visuelle, nous

nous laissons souvent trop vite séduire par la beauté, qu'il s'agisse d'une personne, d'un produit ou même d'un livre. Un livre bellement écrit, comme une belle personne, n'a peut-être pas grand-chose à dire. La beauté substantielle perd souvent aux mains de la beauté apparente. Un bon écrivain sait qu'une belle écriture n'est pas un substitut au contenu fondamental d'une œuvre. La meilleure beauté est celle qui allie la beauté formelle à la beauté du fond.

En d'autres mots, la beauté peut être un masque qui cache le vide, la fausseté et même la laideur.

Ce n'est pas un danger ici, avec *Under Milk Wood*. Le lyrisme de la langue s'ancre dans la connaissance viscérale qu'avait Dylan Thomas de ce que la vie est bonne, même si elle peut être si souvent mauvaise. On a dit que Dylan Thomas avait écrit *Under Milk Wood* en réaction au bombardement atomique de Hiroshima. Je ne crois pas que cela soit vrai. C'est un peu trop commode. Mais de confronter une brillante symphonie poétique à l'obscure tuerie massive de populations civiles rappelle en effet une vérité spirituelle : la beauté peut tracer un chemin de retour vers la bonté.

Cordialement vôtre,
Yann Martel

Dylan Thomas (1914-1953), poète, prosateur et dramaturge gallois. Ses poèmes ont une singulière densité ; ils sont lyriques et exubérants, traitant souvent de l'unité du monde naturel et de la nature cyclique de la vie et de la mort. Ses œuvres les plus fameuses incluent *A Child's Christmas in Wales* et le poème « Do Not Go Gentle into That Good Night ». Après la Seconde Guerre mondiale, il s'est rendu aux États-Unis pour y faire des tournées de lectures ; c'est au cours de l'une de ces tournées, à New York, qu'il est mort d'une surdose d'alcool.

LIVRE 36

Mon mal vient de plus loin
de Flannery O'Connor

À Stephen Harper,
premier ministre du Canada,
d'un écrivain canadien,
avec ses meilleurs vœux,
Yann Martel

Le 18 août 2008

Cher Monsieur Harper,

L'objet que vous avez maintenant entre les mains est l'exemple idéal du livre usagé. La couverture révèle son âge, tant par son style que par son état. Un chiffre indiquant un prix a été écrit directement sur cette couverture : 4,50. Au dos, une bande de ruban adhésif a été collée pour empêcher cette même couverture de tomber. Et il y a au bas un trait noir de crayon-feutre, pour bien indiquer que c'est un livre d'occasion. Les pages intérieures ont été jaunies par l'âge tout au long des rebords. Et vous remarquerez une marque jaune du côté gauche des premières pages : on dirait que le livre a déjà été mouillé et que la ligne de démarcation de l'eau en est restée. Sans aucun doute, ce livre manifeste un âge vénérable. Cette édition qui vous appartient désormais, la première impression en livre de poche, a été publiée il y a quarante et un ans, en 1967. J'avais quatre ans alors, vous en aviez neuf. Pas mauvais pour un jeu d'éléments fragiles : un papier de piètre qualité et un mince carton.

Ce livre a duré aussi longtemps pour deux raisons : c'est un bon livre, et il a donc été bien traité. Peu coûteux, c'est par sa propre valeur aux yeux de tous ceux qui en ont été propriétaires qu'il a brillé et qu'ils en ont donc bien pris soin. Comme je vous l'ai mentionné dans une lettre antérieure, le livre usagé est économiquement étrange : malgré qu'il soit vieux et qu'il ne soit pas rare, il ne se déprécie pas avec le temps. Bien au contraire, en fait : si vous prenez bon soin de ce livre, dans quelques années, parce qu'il s'agit d'une première impression en édition de poche, sa valeur aura crû.

Cette richesse qui en rien ne diminue tient bien sûr à la valeur innée du livre de poche, tous ces petits signes noirs. Ils résident dans le livre comme l'âme réside dans un corps. Les livres, comme les gens, ne peuvent pas être réduits au coût des matériaux qui les composent. Les livres, comme les gens, deviennent uniques et précieux une fois qu'on les connaît.

Cette gloire culturelle, celle du livre de poche usagé, est parfaitement représentée ici par Flannery O'Connor. Ni nouvelle ni âgée, mais plutôt durable, elle représente le genre de trésor éclatant qu'on découvre chez un libraire de vieux. Imaginez donc : pour 4,50 $, j'ai obtenu pour vous son recueil de nouvelles *Mon mal vient de plus loin – Everything That Rises Must Converge*. La différence ici entre le prix et la valeur est aberrante tant elle est grande. Ce que cela signifie, en fait, c'est que l'objet que vous avez entre les mains est d'une telle valeur que ce serait ridicule de tenter de lui donner un prix, alors dans ce cas-ci, pour souligner l'absurdité de la chose, on chargera 4,50 $.

Flannery O'Connor était américaine. Elle est née en 1925 en Georgie et elle y est morte de lupus en 1964. Elle n'avait que 39 ans. Elle était très religieuse, plus précisément profondément catholique, mais sa foi ne constituait pas des œillères pour elle. C'était plutôt qu'elle imprégnait le monde de la grâce de Dieu et lui rendait évident le fossé entre ce qui est sacré et ce qui est humain. D'après moi, ce sur quoi O'Connor écrivait, sans relâche, c'était sur la Chute. Ses histoires parlent de la perte du Paradis, du prix qu'il faut payer quand on écoute le serpent et qu'on tend la main vers les pommes. Ce sont des histoires morales, mais elles n'ont rien de réducteur. Grâce à une belle écriture, à un humour noir très fin, à des personnages riches et à une narration fascinante, ces histoires filtrent la vie sans en rien la diminuer.

De là leur effet. Chaque histoire donne l'impression et a le poids d'un court roman. Et cela, sans recours littéraires plats, je vous en assure. Vous le verrez bien. Commencez par n'importe laquelle et un personnage va vite jaillir de la page pour vous prendre par le bras et vous emporter. Ces histoires sont captivantes. Après chacune d'entre elles, vous aurez l'impression d'avoir vécu plus longtemps, que vous avez une meilleure expérience de la vie, que vous êtes plus sage. Ce sont des histoires sombres. Dans chacune d'entre elles, ou bien un fils déteste sa mère ou une mère se désespère de ses lamentables fils, ou bien c'est un grand-père ou un père qui est désespéré. Et le résultat, en plus d'être éminemment divertissant, est invariablement tragique. De là la sagesse qui en ressort. C'est pour ainsi dire une équation mathématique : lecteur + histoire de pure folie = lecteur plus sage.

Je vous recommande tout particulièrement les nouvelles « Greenleaf », « A View of the Woods » et « The Lame Shall Enter First ».

Il y a maintenant un autre sujet que je voudrais soulever auprès de vous. L'annulation du programme PromArt a été annoncée récemment. Ce programme, administré par le ministère des Affaires étrangères, aide à défrayer en partie le coût des voyages d'artistes et de groupes culturels canadiens qui se rendent à l'étranger pour y promouvoir leur travail. Les subventions accordées à des individus sont modestes, souvent de 750 $ à 1 500 $. Le budget de tout le programme est d'à peine 4,7 millions de dollars. C'est à peu près 14 sous par année par Canadien ou Canadienne. Pour cette somme si petite, le Canada présente ses qualités les meilleures et les plus solides aux nations du monde. Je veux vous rappeler ce que vous n'ignorez sûrement pas : un pays ne peut être réduit aux entreprises commerciales qui y sont installées. Les entreprises apparaissent et disparaissent, selon leur propre logique commerciale. Personne, et surtout pas les détenteurs d'actions, n'a de sentiment patriotique profond de fidélité à une entreprise. L'actionnaire votera en faveur de ce qui lui rapportera le plus grand bénéfice. Alors que les Canadiens et Canadiennes peuvent se sentir fiers d'intervenants globaux comme Bombardier ou Alcan et bien d'autres entreprises, nous ne devons pas leur attacher notre identité. Le Canada est un peuple, pas un négoce. Nous brillons grâce à nos réalisations artistiques, et non grâce à nos richesses mercantiles. Couper un programme international de promotion des arts, c'est choisir l'anonymat culturel de notre pays. Cela veut dire que les étrangers ne sauront rien du Canada ; ils n'auront donc pas d'affection à son endroit.

Le programme PromArt est une partie vitale de notre politique étrangère. Je vous demande expressément de reconsidérer votre décision de l'éliminer. La valeur ajoutée que donne ce modeste programme est, comment dirais-je, exactement comme la valeur ajoutée que vous offre un livre de poche.

Cordialement vôtre,
Yann Martel

Flannery O'Connor (1925-1964), essayiste, romancière et nouvelliste américaine dont on dit souvent que les œuvres sont grotesques, dérangeantes et typiques de la littérature gothique du Sud. Son écriture se caractérise par l'utilisation de lourds présages, l'ironie et les allégories ; en général, elle explore les questions de religion et de moralité. On compte parmi ses ouvrages les plus connus ses romans *La sagesse dans le sang* et *Et ce sont les violents qui l'emportent*, et ses recueils de nouvelles *Mon mal vient de plus loin* et *Les braves gens ne courent pas les rues*. Après avoir vécu à New York, puis dans une colonie d'artistes, on lui diagnostiqua un lupus et elle retourna sur la ferme familiale, où elle vécut les quatorze dernières années de sa vie, à écrire et à élever des paons. Elle reçut, à titre posthume, le National Book Award pour *The Complete Stories of Flannery O'Connor*.

LIVRE 37

Une modeste proposition
de Jonathan Swift

À Stephen Harper,
premier ministre du Canada,
cette espèce de livre de cuisine,
d'un écrivain canadien,
avec ses meilleurs vœux,
Yann Martel

Le 1ᵉʳ septembre 2008

Cher Monsieur Harper,

Alors, davantage de réductions dans les appuis aux arts. Dans ma dernière lettre, je n'ai mentionné que le programme PromArt, n'étant pas encore au courant des autres coupures. Près de 45 millions de dollars en tout. Cela va se faire sentir lourdement, cela va faire mal, cela va tuer. Il y aura moins d'art, certes ; mais il y aura plus de quoi, d'après vous ? Qu'obtient-on pour 45 millions de dollars qui ait une plus grande valeur que l'expression culturelle d'un peuple, que la perception qu'a un peuple de lui-même ?

Cette occasion impose un livre particulier. La manière que nous avons de nous administrer – les gens que nous élisons et les lois qu'ils promulguent – se reflète dans l'art. La politique, c'est aussi la culture. *Une modeste proposition*, de l'écrivain irlandais Jonathan Swift (1667-1745) est un bon exemple d'une réflexion artistique sur la politique. C'est un morceau de satire admirable par sa férocité humoristique et par sa brièveté. De tout juste huit pages, c'est l'œuvre la plus courte que je vous aie jamais envoyée.

Le paragraphe clé, celui qui énonce la modeste proposition que Swift suggère comme solution à la pauvreté de l'Irlande, est le suivant :

Un Américain très avisé que je connais à Londres m'a assuré qu'un jeune enfant en bonne santé et bien nourri constitue à l'âge d'un an un mets délicieux, nutritif et sain, qu'il soit apprêté en daube, rôti à la broche ou cuit au four ou au pot, et j'ai tout lieu de croire qu'il s'accommode aussi bien en fricassée ou en ragoût.

La question est simple et pertinente, Monsieur Harper : préparez-vous un ragoût ?

Cordialement vôtre,
Yann Martel

Jonathan Swift (1667-1745), satiriste et essayiste irlandais et membre fondateur du Martinus Scriblerus Club, qui comptait parmi ses membres Alexander Pope et Thomas Parnell. Swift était engagé politiquement, écrivant d'abord des pamphlets pour les whigs, puis pour les tories, avant de défendre les préoccupations irlandaises. Il étudia en Irlande et en Angleterre, obtint une maîtrise d'Oxford, et il fut ordonné pasteur anglican. Le style de Swift est enjoué et humoristique tout en étant intensément critique des sujets dont il fait la satire. Ses œuvres les mieux connues sont *Les voyages de Gulliver*, *Une modeste proposition* et *La bataille des livres*.

LIVRE 38

Hymne
de Ayn Rand

À Stephen Harper,
premier ministre du Canada,
Ayn Rand voulait que nous soyons égoïstes,
mais la démocratie nous demande d'être généreux.
D'un écrivain canadien,
avec ses meilleurs vœux,
Yann Martel

Le 15 septembre 2008

Cher Monsieur Harper,

Vous avez décidé qu'il y aurait des élections. Ça me semble donc une bonne idée de vous faire parvenir Ayn (pensez au mot allemand pour le numéro un) Rand, dont les livres sont éminemment politiques. C'est très facile de ne pas aimer Ayn Rand, non seulement l'écrivaine, mais même la personne qui écrit. Un bon nombre de lecteurs et d'intellectuels la détestent en effet, intensément. Pourtant, plus d'un quart de siècle après sa mort (elle a vécu de 1905 à 1982), Ayn Rand continue d'avoir des fidèles obstinés qui lui vouent un culte, pour ainsi dire, et ses livres continuent de se vendre en grand nombre. De toute évidence, il y a quelque chose d'attirant et de repoussant dans son écriture. Son court roman *Anthem* (*Hymne*), qui ne fait que cent vingt-trois pages, est une œuvre qu'il est approprié de discuter dans un contexte électoral. Vous allez voir dans les paragraphes qui suivent que je compte parmi ceux qui n'aiment pas Ayn Rand.

Hymne a d'abord été publié en 1938 ; c'est une contre-utopie au cœur utopique, un portrait du futur ou plus rien ne va bien mais où on montre au lecteur comment on peut arranger les choses. Le roman commence bien. Le langage est simple, le style est d'une élégance discrète, le rythme est engageant. Toute l'histoire est racontée du point de vue du personnage principal dont le nom est Égalité 7-2521. (Ayn Rand donne à ses personnages des noms qui indiquent clairement les notions, les idéaux qu'elle a l'intention de discréditer.) Égalité 7-2521 ne vit pas à une belle époque. Il ne jouit pas de véritables libertés. Il n'a pas choisi de vivre là où il vit, ni de faire ce qu'il fait pour vivre. Il n'a pas de famille, ni de véritables amis. En cela, il est semblable à tous les hommes qu'il connaît, enfermé dans une vie de conformité absolue qui est socialement utile mais réductrice. Le lecteur accepte ces prémisses sans hésiter grâce à une habile astuce linguistique de la part d'Ayn Rand : l'absence totale de pronoms de la première personne du singulier. Égalité 7-2521 ne parle pas en tant que « je », et de ce qu'il possède il ne dit jamais « mien » ou « à moi ». Des concepts aussi individualistes sont bannis de sa société et il est un « nous » comme tout le monde, et tous sont au service de la collectivité. Comme le dit Égalité 7-2521 :

> Nous cherchons à être comme tous nos frères humains, car tous les humains doivent être semblables. Au fronton du Palais du Conseil Mondial, il y a des mots taillés dans le marbre, que nous nous répétons à nous-mêmes quand le péché nous tente :
> « Nous sommes un en tous et tous en un.
> Il n'y a pas d'hommes mais plutôt seulement un grand NOUS,
> Un, indivisible et pour toujours. »

Union 5-3992 et International 4-8818, deux balayeurs de rues confrères, réussissent à supporter une pareille conformité, mais :

> Il existe Fraternité 2-5503, un gentil garçon aux yeux sages et doux, qui pleure soudainement, sans raison, au milieu du jour ou de la nuit, et leur corps frémit de sanglots inexplicables. Il existe Solidarité 9-6347, qui sont un jeune brillant, qui n'ont peur de rien pendant la journée, mais ils crient dans leur sommeil, et ils crient : « À l'aide ! À l'aide ! À l'aide » dans la nuit, avec une voix qui glace les os...

Quant à Fraternité 9-3452, Démocratie 4-6998, Unanimité 7-3304, International 1-5537, Solidarité 8-1164, Alliance 6-7349,

Similarité 5-0306, et surtout Collectif 0-0009 (ils sont un vilain personnage), ils sont les premiers défenseurs du système répressif, et ils vont entrer en conflit avec Égalité 7-2521, qui subit une pulsion irrésistible vers une pensée autonome et la poursuite de ses idées, qu'importe où elles le mèneront.

Il y a des femmes. Elles vivent séparées. Une seule fois par année, pour une seule nuit pendant le « Temps de l'Accouplement », les hommes et les femmes se réunissent, en couples désignés par le « Conseil eugénique ». Ce n'est pas à cette occasion, mais plus tôt, aux limites de la Ville un jour de travail, qu'Égalité 7-2521 a rencontré Liberté 5-3000. Il devient amoureux d'elle, commettant ainsi la « grande Transgression de la Préférence ». Il l'appelle – ils les appellent – « La Dorée ».

Cet amour qu'il ressent, lié à sa pensée indépendante, force éventuellement Égalité 7-2521 à fuir la Ville vers la Forêt Inexplorée. La Dorée l'y rejoint. Loin de mourir dans la forêt comme il l'avait prévu, ils éprouvent une quiétude pastorale après leur oppressante vie urbaine. Mieux encore, ils tombent sur une maison abandonnée dans des montagnes au delà de la forêt et ils trouvent le bonheur. Ils le trouvent grâce à des livres abandonnés dans la maison, vestiges des temps anciens d'avant la « Grande Renaissance ». Égalité 7-2521 commence à lire et prend connaissance d'un mot, d'un concept, d'une philosophie qui exprime tous les désirs intellectuels confus mais ardents qu'il avait connus, le mot « je ».

C'est avec cette découverte – elle arrive à la page 108 dans l'édition que je vous envoie, quinze pages avant la fin du livre, au tout début du chapitre 11, celui qui commence par les mots « Je suis. Je pense. Je veux. » – que *Hymne* se gâte sérieusement. Le point essentiel de la fiction d'Ayn Rand, comme vous l'aurez sûrement noté, c'est une critique du collectivisme, le plus affreusement représenté par les horreurs du communisme sous Staline en Russie, le pays où Rand est née (elle est devenue citoyenne américaine en 1931). Et là le lecteur, en tout cas le lecteur que je suis, l'accompagne. Les dictatures sanguinaires sont répugnantes aux yeux de tout être humain sain d'esprit. Mais Ayn Rand commet deux erreurs dans son allégorie de la vie en Union soviétique. Premièrement, elle ne voit que le pire du collectivisme, le rejetant en bloc, le bon avec le mauvais. Pour elle, le Goulag et la médecine socialisée, par exemple, sont des aspects d'un seul et même mal. Deuxièmement, après avoir rejeté Staline et son système condamnable, elle poursuit sa course jusqu'à un autre extrême libertaire absurde. Rand postulait que l'humanité serait plus heureuse si nous vivions tous comme des individus en autarcie, n'étant redevables à personne, sans liens, sans entraves, libres, libres, libres. La vertu de l'égoïsme, c'est de cela que parle Ayn Rand. C'est même le titre de l'un de ses livres. On ne s'étonne donc pas que Rand attire surtout deux groupes fort distincts de lecteurs : les adolescents qui sont en plein développement de leur individualité, et les capitalistes américains de droite portés à faire et à conserver trop d'argent.

Revenons-en au roman. Égalité 7-2521, à la page 108, s'est libéré grâce au mot « je ». Et suit une orgie de « je-isme », de moi, moi, moi, mien, mien, mien :

Mes mains… Mon esprit… Mon ciel… Ma forêt… Cette terre qui m'appartient…

On sent qu'il y a un problème quand quelqu'un revendique la propriété du ciel. Autant Égalité 7-2521 était séduisant quand il était opprimé, autant une fois libre il devient agaçant, prétentieux, repoussant. Alors que son étrange discours dans la Ville – nous ceci, nous cela – paraissait noble et incantatoire, à l'inverse son discours libre dans les montagnes est terne et pompeux. Le héros combattant que nous voulions acclamer est devenu un autre mâle satisfait de lui-même et dominateur qui pense tout savoir. Nous sommes sympathiques à sa cause, mais maintenant nous frémissons devant ses solutions :

Je voulais connaître le sens des choses. Je suis le sens… Quelle que soit la route que j'emprunte, l'étoile qui me guide est en moi ; l'étoile et l'aimant qui pointent vers le chemin. Ils ne pointent que dans une direction. Ils pointent vers moi… Je ne dois rien à mes frères, je ne suis pas leur créancier. Je ne demande à personne de vivre pour moi

et je ne vis pas non plus pour les autres… Et je vois maintenant le
visage de dieu, et j'élève ce dieu au-dessus de la terre, ce dieu que
les hommes cherchent depuis qu'ils existent, ce dieu qui leur accor-
dera joie, paix et fierté.

Ce dieu, ce mot unique :

« Je. »

Vous êtes un homme religieux, M. Harper. Vous savez que l'essence de chaque religion, de chaque dieu, est précisément le
contraire de ce sur quoi Ayn Rand pérore : Dieu est une affaire
d'abandon du soi, et non de son exultation. Mais c'est un point
marginal, mineur. Le principal problème de cet excès libertaire de
Rand, son culte hyper-nietzschéen de l'individu héroïque debout
au faîte d'une montagne, c'est que non seulement il rend la société
impraticable, mais aussi les simples relations entre les individus.
Un exemple saute aux yeux dans le roman même de Rand. Égalité
7-2521, maintenant ivre de son unicité, est las de son propre nom.
Il dit à la Dorée :

J'ai lu des livres au sujet d'un homme qui vécut il y a des milliers
d'années, et de tous les noms dans ces œuvres, c'est le sien que je
veux porter. Il déroba la lumière des dieux et il la transmit aux
hommes, et il apprit aux hommes à être des dieux. Et il souffrit à
cause de ses gestes comme doivent souffrir tous ceux qui portent la
lumière. Son nom était Prométhée.

Prométhée, le type sympa qu'on connaissait auparavant sous le
nom de Égalité 7-2521, poursuit :

Et j'ai lu aussi au sujet d'une déesse qui était la mère de la terre et de
tous les dieux. Son nom était Gaïa. Que ce soit ton nom, la Dorée,
puisque tu seras la mère d'une nouvelle sorte de dieux.

Et si la Dorée avait plutôt aimé s'appeler Lynette ou Bobbie-
Jean ? Qui est ce Prométhée pour lui dire quel doit être son nom ?
Et puis si elle n'avait pas envie d'être la mère d'un troupeau

d'enfants criards ? Et si un enfant était assez, et que ce soit une fille si possible, ça suffira, merci ?

Mais autant Liberté 5-3000 semblait têtue dans la Ville, autant elle devient passive et soumise en tant que Gaïa, obéissant aux ordres, car rien ni personne ne doit faire obstacle au Surhomme romantique de Ayn Rand, surtout pas sa femme.

Et que compte faire Prométhée de sa liberté toute neuve ? Il va envahir la Ville pour y chercher « des amis bien choisis » et conquérir le monde !

> Ici, sur cette montagne, moi, mes fils, et mes amis bien choisis allons construire notre terre et notre fort… et le jour viendra où je briserai toutes les chaînes de la terre, et raserai les villes des esclaves, et ma maison deviendra la capitale d'un monde où chaque homme sera libre de vivre pour lui-même.

Eh bien, qu'est-ce qu'il veut ? Veut-il être libre et sans entraves ou bien créer une capitale effervescente ?

Le roman se termine sur un triomphalisme tonitruant, comme suit :

> Et ici, au-dessus du portail de mon fort, je vais tailler dans la pierre le mot qui sera mon phare et mon oriflamme… Le mot qui ne peut jamais mourir sur cette terre, car il en est le cœur et le sens et la gloire.
> Le mot sacré :
> EGO

Voilà tout à fait le genre de voisin que nous souhaitons avoir, le mufle bruyant et dominateur à la pauvre épouse effacée, qui a fait sculpter le mot EGO au-dessus de sa porte.

Voilà le paradoxe et l'échec de la vision d'Ayn Rand. Sa réponse aux excès du collectivisme est un égoïsme excessif et simpliste. Le défi le plus réaliste dans la vie est celui d'être soi-même parmi les autres, de combler ses besoins à soi tout en tenant compte des demandes de sa propre communauté. Ce n'est pas facile. La vie, et non seulement la politique, est l'art du compromis.

Ces tiraillements entre les besoins de l'individu et ceux de la collectivité sont au cœur d'une élection. Si chaque électeur vote strictement selon son intérêt personnel, alors la collectivité, la nation, sera déchirée par les dissensions et les divisions et pourrait éclater. Mais si le Nous collectif est suralimenté, alors les éléments qui le composent sont affamés. Chaque homme ou femme politique, et vous au premier chef, M. Harper, doit établir un équilibre entre l'intérêt personnel et ce qui est bon pour la nation. Si vous divisez trop pour conquérir, si vous cédez trop peu, alors le pays en souffrira, tout comme votre place dans l'histoire. Autant les électeurs que les politiciens ont besoin d'un homme d'État éclairé. Mais cela est une affaire risquée, n'est-ce pas, d'offrir un meilleur avenir à des électeurs préoccupés par le moment présent? Le meilleur est exigé de nous tous. Je ne peux qu'espérer que nous l'atteindrons.

Comme nous avons une élection en cours, permettez-moi de vous faire un appel personnel. Ne craignez rien, ça ne coûtera rien. Je ne vais pas récriminer en ce qui touche le financement des arts et le rôle central que joue l'art dans nos vies ou même, de façon encore plus intéressée, au sujet de la rentabilité des industries culturelles au Canada (quelle était la somme mentionnée récemment, 47 milliards de dollars en 2007 seulement, plus que les profits des industries minières? Et ce n'est pas que je trouve valide cet argument. Ce qui est essentiel est naturellement existentiellement profitable. L'individu privé d'art est pauvre, quelle que soit la fortune dont il ou elle dispose.) Non, je veux simplement vous donner gratuitement une idée, la suivante:

Et si on mettait en place une liste de lectures pour les premiers ministres potentiels du Canada, pour s'assurer qu'ils ou elles aient une imagination assez profonde pour être au gouvernail du pays? Après tout, nous nous attendons à ce qu'un premier ministre ait une assez bonne connaissance de l'histoire et de la géographie du Canada, qu'il sache des choses pertinentes en économie et en administration publique, en affaires courantes et en affaires étrangères; un ou une premier ministre doit rendre compte de ses biens personnels, alors pourquoi ne pas aussi rendre compte des acquis qui forment son imagination?

Car c'est bien de cela qu'il s'est agi, n'est-ce pas, dans notre duo littéraire? Si vous n'avez lu, maintenant ou dans le passé, aucun des livres que je vous ai recommandés, ou des livres qui leur ressemblent, si vous n'avez pas lu *La mort d'Ivan Ilitch* ou un quelconque autre roman russe, si vous n'avez pas lu *Mademoiselle Julie* ou une autre pièce scandinave, si vous n'avez pas lu *Bonjour tristesse* ou un autre roman français, si vous n'avez pas lu *En attendant Godot* ou *La promenade au phare* ou une autre pièce ou roman expérimental, si vous n'avez pas lu *Artistes et modèles* ou d'autres œuvres érotiques, si vous n'avez pas lu les *Pensées* de Marc Aurèle ou *Pouvoirs de l'imagination* ou d'autres essais philosophiques, si vous n'avez pas lu *Under Milk Wood* ou une autre œuvre de prose poétique, si vous n'avez pas lu *Leurs yeux observaient Dieu* ou bien *Los Boys* ou un autre roman américain, si vous n'avez pas lu *Le violoncelliste de Sarajevo* ou *The Island Means Minago* ou *The Dragonfly of Chicoutimi* ou une autre œuvre canadienne – de quoi est donc fait votre esprit? Avec quels matériaux se sont construits vos rêves pour notre pays? Quelle est la couleur, quel est le tracé, quelle est la rime ou la raison de votre imagination? Ce n'est pas le genre de question qu'on est habituellement autorisé à poser, mais une fois que quelqu'un détient un pouvoir qui m'affecte, alors oui, j'ai le droit de m'enquérir de votre imagination, parce que vos rêves pourraient devenir mes cauchemars.

La liste des lectures du premier ministre pourrait être gérée par le président de la Chambre des communes, une personnalité impartiale, et il pourrait peut-être profiter des recommandations non seulement des membres du Parlement, mais aussi de tous les citoyens et citoyennes du pays. Ce serait une liste difficile à établir, c'est sûr. Comment présenter de façon concise tout ce que le mot a accompli ici et à l'étranger, en anglais et en français et en d'autres langues? La liste des lectures du premier ministre ne devrait pas être trop longue: nous ne voulons pas que vous passiez tout votre mandat assis à lire des romans. Et il faudrait régulièrement la mettre à jour, naturellement, selon les époques et les goûts. Comment mettre en application cette liste serait un autre défi. Est-ce que ce serait une liste de lecture annuelle, ou une liste établie au début d'un mandat ? Et comment s'assurer que les livres soient bien lus par le PM plutôt que d'en assigner la lecture à un membre du personnel avec la mission d'en faire un résumé pour lui ? Aurait-il à passer un examen, à écrire un essai, à faire face à un comité, à répondre à des questions pendant une période des questions consacrée spécifiquement à ce sujet ?

« Je n'ai pas de temps à consacrer à ces bêtises », c'est peut-être ce que vous avez envie de crier. Comme je vous l'ai dit lors de ma toute première lettre, il y a un espace tout à côté de chaque lit où un livre peut être posé et attendre. Et je vous le demande une fois de plus : de quoi est fait votre esprit ?

Alors est-ce que ce serait une idée, d'établir une liste des lectures du premier ministre ? Quelle est votre position sur cette question vitale ?

J'attends votre réponse.

Cordialement vôtre,
Yann Martel

Ayn Rand (1905-1982), romancière, dramaturge et scénariste américaine née en Russie. Ses romans les plus fameux sont *La source vive* et *La révolte d'Atlas*. Moins de deux semaines après son arrivée à Hollywood pour lancer sa carrière de scénariste, elle fut engagée comme extra, puis lectrice de scénarios par le directeur Cecil B. DeMille et elle rencontra celui auquel elle allait être mariée pendant cinquante ans, l'acteur Frank O'Connor. Elle était politiquement engagée. Son œuvre projette avant tout une croyance en l'individualisme, au capitalisme et aux libertés civiques fondamentales, ainsi que sa farouche opposition aux structures politiques collectivistes.

Mister Pip
de Lloyd Jones

À Stephen Harper,
premier ministre du Canada,
Les mots vous emportent.
Meilleurs vœux,
Lloyd Jones
21 septembre
Brisbane, Australie
Acheminé par
un écrivain canadien,
avec ses meilleurs vœux,
Yann Martel

Le 29 septembre 2008

Cher Monsieur Harper,

Les campagnes électorales doivent être épuisantes, surtout pour le chef d'un parti. Vous travaillez et vous voyagez constamment, vous parlez avec des gens matin, midi et soir, vous devez toujours être sur vos gardes, et tout cela est très personnel. J'imagine que le pire, dans tout ça, c'est l'absence totale d'intimité. Tout moment où vous voudriez être seul doit être sacrifié aux impératifs de la vie publique.

Une excellente manière de se retrouver seul, c'est de lire un livre. Je crois que la lecture est une expérience aussi satisfaisante parce qu'elle offre à la fois un dialogue entre son esprit et une source de mots venue de l'extérieur, et en même temps, il s'agit d'une expérience totalement privée. Quand on lit, on n'a pas à être sur ses gardes. On peut être tout à fait soi-même. Même mieux, on est entièrement libre. On peut lire vite ou lentement, on peut relire un passage ou passer par-dessus, on peut même refermer le livre et en prendre un autre – c'est son propre choix. Et cette liberté va même plus loin : ce qu'on ressent en lisant est aussi totalement propre à chacun. On peut être absorbé par ce qu'on lit, ou bien on peut se laisser distraire. On peut être un lecteur réceptif, ou bien un lecteur qui rouspète. Je le répète, la liberté est absolue. À quel autre moment a-t-on ce sentiment ? N'est-ce pas un fait que dans la plupart des autres activités, personnelles ou sociales, nous sommes encadrés par des règles et des conventions, par les intrusions et par les attentes des autres ?

La lecture est l'une des meilleures façons d'arriver à cet état essentiel pour la personne qui pense, cet état dont je vous ai parlé dès le début de nos échanges, la quiétude. Tout le vacarme et la confusion du monde extérieur disparaissent, sont bloqués quand on lit, et on devient paisible. En d'autres mots, on entre en dialogue avec soi-même, on se pose des questions, on trouve des réponses, on juge et apprécie les faits et les émotions. Voilà pourquoi la lecture est une source de tant de force ; c'est parce qu'en nous libérant elle nous permet de revenir à l'essentiel, elle permet aux yeux de l'esprit de se voir dans le miroir et de faire l'état des lieux.

Quel meilleur livre pour en témoigner que *Mister Pip*, de l'auteur néo-zélandais Lloyd Jones. Votre esprit va voyager au loin, grâce à ce roman. Premièrement, l'histoire se passe sur une île du Pacifique, Bougainville, une partie de la Papouasie-Nouvelle-Guinée. Mais elle se déroule aussi, d'une certaine manière, dans l'Angleterre victorienne. Il y a comme un appel au calme dans cela, vous ne trouvez pas ? Qui n'a pas rêvé de passer un certain temps dans une île du Pacifique, entouré de mer bleue et de végétation tropicale ? Et qui n'aime pas visiter l'Europe ?

Mister Pip est un roman sur un roman. Le nom de Pip vous est peut-être familier. C'est le nom du personnage principal du roman de Charles Dickens *Great Expectations – Les grandes espérances*. Il ne s'agit pas là d'une coïncidence. *Les grandes espérances* est pour ainsi dire un personnage dans le roman de Lloyd Jones. C'est en tout cas le catalyseur de l'essentiel de son action.

Sur l'île de Bougainville, un homme blanc, M. Watts, vit dans un village habité par des Noirs qui l'acceptent parce qu'il est marié avec l'une des leurs, Grace, qui est devenue folle mais dont M. Watts s'occupe avec amour. Une rébellion mène à la fermeture de la mine locale et provoque l'évacuation de tous les Blancs qui y travaillent. M. Watts, lui, reste. Lui et les villageois sont coupés du reste du monde par un blocus. M. Watts accepte de devenir le maître d'école. Mais il ne sait pas grand-chose. La chimie, c'est un mot pour lui, et l'Histoire n'est guère qu'une liste de noms fameux. Mais il y a une chose qu'il connaît et qu'il aime, cependant, et c'est le grand roman de Charles Dickens. Il le lit aux enfants. Ils sont enchantés. Ils adorent Pip. Mais leurs parents, et plus encore les troupes gouvernementales qui débarquent régulièrement au village pour terroriser les habitants, sont méfiants de ce Monsieur Pip. Où se cache-t-il ? Ils insistent : il faut qu'il se montre, sinon…

Le roman de Lloyd Jones traite du fait que la littérature peut créer un nouvel univers. Il dit que le monde peut être lu comme un roman, et un roman comme le monde. Si cela semble mièvre, je vous avertis qu'il y a de la méchanceté et de la violence dans *Mister Pip*, et pas un peu.

Est-ce que la violence diminue l'impact de l'élément fabuleux ? Est-ce que la « réalité » surgit et fait disparaître la « fiction ». Pas du tout. Vous verrez. L'argument du roman est que l'imagination, qu'elle soit religieuse ou artistique, est ce qui rend le monde supportable.

Je vous envoie aussi *Les grandes espérances*. Ce n'est pas nécessaire de l'avoir lu pour comprendre *Mister Pip*, mais c'est un chef-d'œuvre tellement agréable que j'ai pensé le joindre à mon envoi pour y ajouter un agrément de plus.

En outre, j'ai eu le plaisir de rencontrer Lloyd Jones la semaine dernière au Festival littéraire de Brisbane. Il a eu la gentilles d'accepter de vous dédicacer cet exemplaire de son roman.

Je souhaite que vous tiriez plaisir de *Mister Pip* et des *Grandes espérances*. Mieux encore, j'espère que vous en tirerez de la quiétude.

Cordialement vôtre,
Yann Martel

Lloyd Jones (né en 1955) est un Néo-Zélandais qui publie des livres depuis 1985. Son expérience en tant que journaliste et écrivain de voyage a imprégné ses romans d'un fort sens du réalisme. Son roman le plus récent, *Mister Pip*, a reçu le Commonwealth Writers' Prize for Best Book de 2007. D'autres œuvres connues incluent *Biografi, Here at the End of the World We Learn to Dance, Paint your Wife* et *The Book of Fame*. Plusieurs de ses romans ont été adaptés avec bonheur à la scène. Jones a aussi écrit des livres pour enfants et édité une anthologie de littérature sportive.

LIVRE 40

L'orange mécanique
d'Anthony Burgess

À Stephen Harper,
premier ministre du Canada,
« Bon, alors ce sera quoi, hein ? »
d'un écrivain canadien,
avec ses meilleurs vœux,
Yann Martel

Le 13 octobre 2008

Cher Monsieur Harper,

Je vous présente Alex. Il est le cauchemar à la fois des citoyens et des gouvernements, ceux-là parce qu'ils ont peur de lui et ces derniers parce qu'ils ne savent quoi faire de lui. Alex, voyez-vous, est « a-lex », un « a » privatif et puis le mot « loi » en latin ; il est en dehors de la loi. Ses amis et lui agressent les gens, ils cambriolent les magasins et ils envahissent les résidences, exerçant envers tout un chacun une terrible violence et s'adonnant régulièrement à des viols collectifs. Et quand on pense qu'il n'a que quinze ans. Quand on l'arrête, il pourrit dans un établissement pour jeunes contrevenants pendant un certain temps, jusqu'à ce qu'on le libère – et alors, qu'est-ce qui arrive ? Eh bien, pourquoi s'arrêter quand on s'amuse autant ? Il revient à son plaisir de « l'ultra-violence ». Bienvenue dans l'univers de *L'orange mécanique*, un court et brillant roman de l'auteur anglais Anthony Burgess (1917-1993), publié en 1962.

« Bon, alors ce sera quoi, hein ? » Cette question plutôt menaçante est posée au début de chacune des trois sections du roman. Elle est posée non seulement à l'un ou l'autre des personnages de l'histoire ; elle nous est posée à nous. Qu'est-ce que ce sera donc pour Alex, hein ? Que devons-nous faire de lui ? *L'orange mécanique*, malgré la grande violence qui y apparaît, de fait à cause de cette violence même, est un ouvrage qui se soucie de la morale.

Quand Alex est attrapé après sa dernière crise de destruction sauvage, les autorités essaient une nouvelle méthode. Elles essaient le conditionnement psychologique. Si l'on peut conditionner un chien pour qu'il salive en entendant le tintement d'une cloche, pourquoi ne serait-il pas possible de conditionner un adolescent à rejeter la violence ? Alex est soumis à la méthode Ludovico, dans laquelle on lui donne des injections qui le rendent horriblement nauséeux au moment où on lui montre des films extrêmement violents. Il apprend ainsi, littéralement, à tomber malade devant la violence. Malheureusement, à cause de la trame sonore de certaines bobines des films qu'on le force à regarder, Alex subit accidentellement un conditionnement de dégoût en écoutant la musique classique. Cela peine énormément notre Alex parce que, malgré ses tendances brutales, il est un amoureux de la musique (cela semble historiquement familier, n'est-ce pas ?).

Ce n'est qu'un détail, pense le ministre de l'Intérieur. Notre problème principal est résolu. Maintenant, quand notre garçon voit de la violence, quand la simple pensée de la violence l'effleure, il tombe désespérément malade, il saisit son estomac et il a des haut-le-cœur. S'il s'affaisse aussi quand il entend du Beethoven, tant pis. Ce n'est qu'un peu de dommage collatéral.

Mais si le bien est privilégié non par un choix libre mais comme un mécanisme d'autodéfense contre la nausée, est-ce que c'est un bien moralement valide ? « Est-ce que l'homme qui choisit le mal peut être en quelque façon meilleur que celui auquel le bien est imposé ? » demande le chapelain de la prison à un certain moment. La réponse de Burgess est sans équivoque : il choisit l'option libre du bien. Et la raison pour laquelle cette réponse est la bonne se trouve dans les mots-clés du roman, prononcés par Alex, comme par hasard, au milieu d'une longue phrase :

Je me questionnais encore au sujet de toute cette affaire et je me demandais si je ne devais pas refuser d'être attaché à cette chaise le lendemain et commencer une vraie scène de dratse contre eux tous, car enfin j'avais des droits, quand un autre chelloveck est venu me voir.

J'avais des droits. En effet, Alex a des droits ; nous en avons tous. Ignorer ces droits, c'est perdre l'essentiel : « Quand un homme ne peut plus choisir, il cesse d'être un homme. »

Un groupe d'intellectuels opposés au gouvernement décide d'utiliser Alex. Ils l'enferment dans une salle et, dans une pièce à côté, ils diffusent de la musique classique à très fort volume. Alex utilise la seule issue qu'on lui a laissée, une fenêtre ouverte. La salle est dans un immeuble de plusieurs étages. Alex saute vers le trottoir – et directement dans le cœur de citoyens indignés du lavage de cerveau auquel il a été soumis. On s'approche alors d'une élection et le Gouvernement est inquiet quant à ses propres chances. À l'hôpital où il se remet de ses graves blessures, le traitement auquel est soumis Alex est rapidement inversé ; il en est très heureux. Dans la dernière scène de l'avant-dernier chapitre du roman, on le retrouve, étendu, écoutant avec un plaisir renouvelé la *Neuvième* de Beethoven. « J'ai bien été guéri », dit-il.

Cette phrase, si c'était la dernière du livre, serait férocement ironique. C'est bien que les oreilles du jeune homme aient été restaurées, mais il en va de même de sa boussole morale. Elle peut l'amener à nouveau, par sa fragile et tremblante aiguille, aussi librement vers le bien que vers le mal. Serait-ce à dire que nous, les citoyens, nous devons à nouveau trembler ? Ne pas s'en faire, dit Burgess dans le dernier chapitre du roman, le chapitre 21. Le calvaire d'Alex a grugé plus de deux années de sa vie. Il a maintenant 18 ans et il a plus de maturité. Les joies du viol et du pillage ont perdu de leur intérêt. Alex a plutôt envie de se trouver une gentille petite amie, de s'installer et de fonder une famille. Le roman se termine avec un Alex plus doux, plus serein qui se languit d'une compagne.

J'appellerais cela une conclusion faible. Burgess témoigne avec succès en faveur de l'impératif de la liberté au niveau de l'individu lorsqu'il effectue un choix moral. Mais que pouvons-nous faire sur le plan de la société ? De quels choix dispose la société face à des citoyens qui sont « a-lex » ? Chacun d'entre nous doit être libre pour être pleinement soi-même, certes, mais comment la société doit-elle établir l'équilibre entre la liberté de l'individu et la sécurité du groupe ? Burgess évite cette question difficile en faisant qu'Alex découvre soudainement les joies paisibles de la vie de famille. À un problème social, Burgess ne donne qu'une solution individuelle imprévisible. Et si Alex avait décidé de reprendre sa vie de violence ?

L'édition américaine de *L'orange mécanique* a d'abord été publiée sans le dernier chapitre. Cette amputation éditoriale, à laquelle Burgess s'objectait, fait fi de la construction du roman. Néanmoins, l'affirmation incertaine d'Alex qu'il est guéri, à la fin du chapitre 20, est, d'après moi, une fin plus fidèle aux éléments qui précédaient. C'est cette version tronquée que Stanley Kubrick a utilisée pour réaliser son fameux film. Lui aussi préférait évidemment une conclusion qui ne donnait pas aussi facilement dans l'optimisme.

Ce que j'ai dit jusqu'ici pourra vous faire croire que *L'orange mécanique* est une œuvre mollement pieuse qu'on peut ramener à quelques platitudes morales. Ce n'est pas le cas. De la même façon qu'on ne peut réduire une partie de hockey à son score final, on ne peut réduire une œuvre d'art à son résumé. Ce qui rend *L'orange mécanique* incompressible, c'est sa langue. Alex et ses amis parlent un langage tout à fait particulier. En voici un exemple, choisi au hasard :

> Je n'ai pas tout à fait kopaté à quoi il voulait en venir en govoritant au sujet des calculs, car se sentir mieux après s'être senti bolnoï, c'est de tes propres affaires et n'a rien à voir avec les calculs, Il s'assit, tout beau et droug, sur le bord du lit…

Un mélange de langue populaire anglaise et de mots dérivés du russe, prononcés en cadence qui semblent parfois bibliques, parfois élizabéthaines, c'est cette langue, Nadsat, qui fait de *L'orange mécanique* un ouvrage qui aura toujours sa place en littérature. C'est le jus dans l'orange. Le contexte rend clairs la plupart des mots de Nadsat, et la confusion occasionnelle n'est pas déplaisante.

Les Canadiens et les Canadiennes vont voter demain. C'est pour une bonne raison que je vous offre *L'orange mécanique* la veille. Il y a un élément dans le roman qui est à la fois inquiétant et familier. Le gouvernement là où vit Alex est démocratiquement élu, et pourtant il a recours à des politiques qui sapent les fondations de la démocratie. On a vu ce genre de politiques depuis huit ans aux États-Unis, un pays poussé à la banqueroute morale par son président actuel. Vous prétendez avoir une réponse quant à ce qu'il faut faire d'Alex. Les experts ne partagent pas votre avis, et les cours et la population, sûrement celle du Québec, aussi résistent, mais vous pensez vous y connaître mieux que tout le monde.

Êtes-vous bien sûr, M. Harper, que vous ne nous réservez pas de nouvelles méthodes Ludovico ?

Cordialement vôtre,
Yann Martel

P.-S. Avez-vous vu l'adaptation de Kubrick, un classique ? C'est l'un de ces rares cas où le film est aussi bon que le livre. Je vais tenter de trouver une copie DVD. Quand je l'aurai, je vous l'enverrai.

Anthony Burgess (1917-1993), prolifique romancier, poète, dramaturge, biographe, critique littéraire, linguiste, traducteur et compositeur anglais. Ses œuvres couvrent une large gamme qui s'étend des romans littéraires à la langue sophistiquée comme sa trilogie malaise, *A Long Day Wanes*, publiée à partir de 1956, à la critique d'œuvres comme celles de James Joyce, aux symphonies et à la satire contre-utopique.

Livre 41

Gilgamesh
dans une version anglaise de Stephen Mitchell

À Stephen Harper,
premier ministre du Canada,
la plus ancienne histoire au monde,
pour célébrer votre deuxième minorité,
d'un écrivain canadien,
avec ses meilleurs vœux,
Yann Martel

Le 27 octobre 2008

Cher Monsieur Harper,

Félicitations pour votre victoire électorale. Vous devez être satisfait de votre minorité accrue. Le fait que votre mandat de premier ministre se poursuive signifie, entre autres choses, que notre club du livre a survécu. Nous pouvons maintenant continuer calmement à discuter des livres. Puisque nous avons plus de temps, pourquoi ne pas revenir dans le temps ? Pourquoi ne pas retourner là où les débats sur les livres ont probablement commencé, sur les rives de l'Euphrate ? Ce qui est perçu comme la version standard de l'épopée de *Gilgamesh* a été mis par écrit en cunéiforme entre les années 1300 et 100 av. J.-C. sur douze tablettes d'argile, en babylonien, un dialecte de la langue akkadienne. Mais il y a des fragments écrits en sumérien au sujet du triste roi d'Uruk qui datent d'environ 2000 ans av. J.-C. Quant au Gilgamesh historique, eh bien, il est mort vers 2750 av. J.-C., soit il y a cinq mille ans, à deux siècles près.

Gilgamesh date donc d'avant Homère et d'avant la Bible. C'est le terreau d'où sont venus ces textes plus tardifs, ce qui explique pourquoi quelques éléments de l'épopée vous paraîtront familiers. Avant le Déluge, il y eut le Grand Déluge dans *Gilgamesh*. Avant l'arche de Noé, il y eut le bateau qu'Utnapishtim construisit, rempli d'animaux. Dans *Gilgamesh*, il y a une odyssée avant *L'Odyssée* et il y a quelqu'un qui conquit l'immortalité avant que Jésus de Nazareth ne le fît. Le thème d'une épouvantable inondation se retrouve aussi dans l'histoire hindoue de Matsya le poisson, premier avatar de Vishnu, et le thème de la peur vous rappellera peut-être la *Bhagavad-Gita*, que je vous ai envoyée il y a près d'un an et demi. Vous vous souvenez de la peur d'Arjuna avant la bataille ? Elle ressemble à la peur de Gilgamesh face à la mort. L'aspect inexorable du sort pourrait évoquer en vous la pensée grecque classique, tout comme l'irascibilité des dieux sumériens s'apparente à celle des dieux grecs. *Gilgamesh* est la mère de toutes les histoires. En tant qu'animaux littéraires, nous commençons tous par *Gilgamesh*.

Vous pourriez en conclure que lire cette épopée sera comme de contempler une vitrine pleine de petites roches sculptées dans un musée d'archéologie. Ce n'est pas ça du tout, je vous le promets, surtout pas dans la version que je vous envoie, réalisée par le traducteur américain Stephen Mitchell. Il s'est débarrassé de lourdeurs académiques et d'une pénible fidélité aux divers fragments (quoique si vous y tenez, il y a une bonne introduction et de nombreuses notes). Mitchell a voulu être fidèle à l'esprit de l'original, se préoccupant davantage des besoins du lecteur en anglais que de la sensibilité des archéologues.

Le résultat est formidable. La prose est simple, vigoureuse et majestueuse, l'action est palpitante. Je vous encourage à lire cette épopée à voix haute. Vous verrez que c'est agréable. Ce n'est pas un style qui rebute à l'oral et il n'y a pas d'embûches pour l'esprit. Comme pour un tambour qu'on bat, la cadence des mots et la répétition de certains passages vous séduiront complètement.

L'esprit peut être immortel, survivant pour toujours grâce aux idées. Une idée peut sauter d'un esprit à un autre, traversant des générations, se maintenant toujours un pas devant la mort. L'esprit de Platon, par exemple, est encore en nous, même s'il est mort il y a longtemps. Mais le cœur ? Le cœur est inexorablement mortel. Tous les cœurs meurent. Du cœur de Platon, de sa part d'expériences vécues, nous ne savons rien. *Gilgamesh* est l'histoire du cœur d'un homme et de sa brutale cassure face à la mort. La puissance émotive immédiate est palpable. Gilgamesh, le roi d'Uruk, la ville aux grandes murailles, ne vous paraîtra pas étranger parce que cette voix lésée qui plaide directement dans votre oreille ne date pas d'il y a quatre mille ans – c'est la pulsion de votre propre cœur périssable. Notre seul espoir est de vivre de façon aussi authentique que Gilgamesh et de trouver un ami aussi aimant et loyal qu'Enkidu.

Il y a quelques superbes passages. Cherchez : « Une rafale de vent passa » et « Une fine pluie tomba sur les montagnes ». Ces mots brillent dans leur contexte. Et puis il y a un serpent qui joue un mauvais tour à Gilgamesh. Cela aussi vous reviendra, par le chemin de la Bible. Pourtant, ce serpent n'offre rien, il saisit. Mais le résultat est le même : le malheureux Gilgamesh doit accepter son sort de mortel.

Cordialement vôtre,
Yann Martel

Stephen Mitchell (né en 1943), traducteur américain polyglotte connu pour ses traductions plus poétiques que littérales. Il a traduit des œuvres de l'allemand, de l'hébreu, du grec, du latin, du français, de l'espagnol, de l'italien, du chinois, du sanscrit et du danois. Ses autres traductions incluent celle du *Bhagavad-Gita* et le *Tao Te Ching* bouddhiste. Il a aussi publié un recueil de poèmes, deux romans, trois œuvres en prose et plusieurs livres pour enfants.

LIVRE 42

Gilgamesh
dans une version anglaise de Derrek Hines

À Stephen Harper,
premier ministre du Canada,
encore une fois, mais moderne,
d'un écrivain canadien,
avec ses meilleurs vœux,
Yann Martel

Le 10 novembre 2008

Cher Monsieur Harper,

Gilgamesh, une fois de plus. Mais un *Gilgamesh* très différent. La version que je vous ai envoyée il y a deux semaines prenait des libertés, mais c'était afin de mieux servir le classique original sumérien. On a l'impression que Stephen Mitchell avait pris les tablettes d'argile brisées, réajusté les morceaux et habilement rempli les fissures qui en rendaient la lecture difficile. Celui qui nous guidait dans ce parcours haletant à travers cinq mille ans vers les berges de l'Euphrate restait discret et anonyme. Nous n'avions aucun sentiment quant à Mitchell lui-même ; en fait, il ne nous venait même pas à l'esprit de nous renseigner à son sujet.

Le *Gilgamesh* interprété par le poète canadien Derrek Hines nous fait voyager dans le temps en sens contraire. C'est la Mésopotamie qui est extirpée et traînée jusqu'au jour d'aujourd'hui, débarrassée de sa poussière archéologique. Tout dans cette version est une question de liberté et les tablettes d'argile en ont été repoussées. Prenez les premiers vers. Chez Mitchell, c'était :

Dépassant tous les rois, en puissance et en taille
supérieure à tous les autres, terrible, superbe
homme tel un taureau sauvage, leader invaincu,
héros sur les champs de bataille, aimé de ses soldats –

appelé forteresse, protecteur du peuple,
marée déchaînée balayant toutes les défenses –
aux deux tiers divin, au tiers humain…

Alors que chez Hines :

Voici Gilgamesh, le roi d'Uruk :
deux tiers divin, un fils à maman,
un égo de zeppelin, la bite en marteau-pilon,
et solide comme le chrome, d'une arrogance de gibet.

Vous voyez ce que je veux dire ? On n'a pas intérêt à lire les deux versions dans le désordre. Chez Mitchell, on sent la perspective, l'étendue, le côté intemporel d'une épopée antique. Chez Hines, on peut se demander où est rendue l'épopée. Où vont toutes ces dérives ? Eh bien, c'est justement cela, son affaire : les dérives en sont l'essentiel. Vous vous souvenez de la colère d'Ishtar quand Gilgamesh la rejette, qu'elle va trouver son père, le dieu Anu, afin d'emprunter le Taureau du Ciel pour le lancer contre Uruk ?
Voici ce que Hines fait de ce passage ; c'est Ishtar qui parle :

« Je vais avoir le Taureau du Ciel sinon je vais fendre l'Enfer,
et libérer les non-morts pour qu'ils coulent le givre dans les vivants. »
Et puis soudain, comme on change de registre au théâtre,
une moue : « Mon cher Anu,
tu sais comme je suis insultée ;
je veux, *je veux* le Taureau du Ciel
pour venger mon honneur.
Elle lève son pied parfait pour trépigner
et les dalles du Ciel s'entrechoquent
comme un cube de Rubik pour accueillir ce pied. »

C'est *Gilgamesh* qui rencontre Naomi Campbell. En plus du cube de Rubik, il y a un grand nombre de références qui ne sont en rien mésopotamiennes : explosions atomiques, Bruegel, immeubles de New York, scanographies, horizons des événements, trains express,

Marlene Dietrich, masques à oxygène, paparazzi, comptes bancaires suisses, rayons-X, le Magicien d'Oz, et quoi encore. Cette allégresse dans l'anachronisme témoigne bien de l'approche tout à fait distincte empruntée par Hines.

Toute chose est perçue et comprise par un esprit, celui dont nous disposons. Ce qui est hors du temps, ce qui est transcendant, l'égo évanescent – tout cela est bien vrai, mais ce n'est pas ce que nous vivons comme expérience. Gilgamesh ne les ressentait pas, pas plus que nous. Nous ne sommes pas tous un. Nous ne sommes qu'un, chacun pour soi. Vous, moi, lui, elle, multiplié par six milliards. Chacun de nous dispose d'une étincelle de mortalité. Ce n'est que lorsque toutes ces étincelles sont rassemblées qu'on semble saisir le faisceau de lumière qui traverse le temps. La version de *Gilgamesh* composée par Mitchell joue avec cette luminosité. Il renouvelle l'épopée, mais cela fonctionne parce que nous savons qu'elle est ancienne. Hines ne veut rien savoir de cet héritage historique. Lui, il est un moderne ; son étincelle ici et maintenant va renouveler brillamment cet éclairage qui date de cinquante siècles. Chez Hines, vous trouvez la singularité du poète vivant qui s'exprime de son plein droit, attirant l'attention sur lui-même, disant : « C'est moi, c'est notre langage, c'est notre condition : ça vous dit quoi ? »

Moi, ça me dit que c'est très bien. C'est certainement plus difficile à lire que la version de Michell. Il arrive que la concision poétique exige qu'on travaille à la déballer. Et puis dans la strophe suivante, une image étonnante brille de sens. C'est la raison pour laquelle je vous recommande de lire la version de Hines plus d'une fois. Elle ne fait que soixante pages, et le texte est largement espacé, en plus. Plus vous vous familiariserez avec le texte, plus le sens en sera évident, et vous aurez bientôt aménagé toute une pièce splendidement meublée dans votre esprit. C'est un texte riche, stimulant, avec quelques vers qui sont d'une incroyable force. Voyez ce passage, partie de la complainte de Gilgamesh à la mort d'Enkidu :

Il s'éloigne peu à peu, le mort complaisant,
brisant la convergence commune

des points de fuite
et nous luttons pour dessiner à nouveau l'image.

Un dernier exemple. Gilgamesh, dans un moment d'inattention, perd l'herbe de la vie éternelle. Il revient vers Uruk pour y mourir. Et voici ce qu'il dit :

Nous sommes faits, nous sommes brisés par miracle
nous regardons mais nous ne savons pas voir – comme
si nous avions cédé notre instinct à notre pensée
nous rendant aveugles à la réalité du monde,
porte du cœur vers l'éternité.

Voilà bien une vérité très ancienne et, ici, entièrement moderne.

Cordialement vôtre,
Yann Martel

Derrek Hines, poète canadien surtout connu pour sa réinterprétation du poème épique *Gilgamesh*. En introduisant des images modernes dans une reprise en vers libres de l'œuvre, Hines réduit drastiquement l'écart temporel entre l'époque sumérienne d'origine et les auditoires contemporains et il redonne ainsi leur énergie aux puissants effets de l'épopée. Hines a publié deux recueils de poésie. Élevé dans le sud de l'Ontario, il vit présentement dans la Péninsule Lizard, à Cornwall.

LIVRE 43

The Uncommon Reader
d'Alan Bennett

À Stephen Harper,
premier ministre du Canada,
un court roman sur une salutaire accoutumance
d'un écrivain canadien,
avec ses meilleurs vœux,
Yann Martel

Le 24 novembre 2008

Cher Monsieur Harper,

Je ne peux penser à une meilleure introduction à la république des lettres que le court roman d'Alan Bennett, *The Uncommon Reader*. Un jour, au bout du jardin du Palais, stationné près des poubelles des cuisines, son attention attirée là par ses corgis, la reine découvre le bibliobus de la Ville de Westminster. Elle y entre juste pour s'excuser des aboiements des chiens et, une fois à l'intérieur, poussée par un sens du devoir plutôt que par un véritable intérêt, elle emprunte un livre. Ce geste fort simple marque le début de la chute de Sa Majesté, pour ainsi dire. L'ironie de cette histoire est légère comme de la barbe à papa, l'humour, attirant comme une friandise, les personnages sont croquants comme des croustilles, mais au cœur de tout cela, il y a quelque chose de très nutritif à digérer : l'effet que des livres peuvent avoir sur une vie.

En terminant celui-ci, vous allez penser que vous connaissez mieux Sa Majesté, vous allez vous sentir plus proche d'elle, vous allez bien l'aimer. Cela viendra en partie du talent qu'a Bennett pour donner vie à son personnage royal. Mais cela tient aussi à la nature des livres. Dans la république des lettres, tous les lecteurs sont égaux.

Contrairement aux autres commerces de détail, les librairies ne se classent pas vraiment par catégories, depuis le luxe jusqu'au bas de gamme. Une librairie est une librairie. Quelques-unes se spécialisent, mais cette mesure de restriction ne concerne que le type de livres – disons les langues modernes, ou l'art – et non les classes de lecteurs. Tout un chacun est le bienvenu dans une librairie et tout le monde s'y côtoie, les riches et les pauvres, les plus instruits et les autodidactes, les vieux et les jeunes, les aventureux et les conformistes, et bien d'autres encore. On pourrait même y tomber sur la reine.

Avant que je n'oublie, l'une de nos propres très grandes écrivaines, Alice Munro, fait une brève apparition à la page 67 de *The Uncommon Reader*.

Puisque je vous parle de librairies, j'ai pensé joindre à cet envoi quelques photos de certaines que j'ai visitées dernièrement.

La librairie Bookseller Crow on the Hill se trouve à Crystal Palace, un quartier du sud de Londres, où je séjourne ce temps-ci. Je suis debout à côté de John, le sympathique propriétaire, et je tiens justement dans mes mains le livre qui vous appartient maintenant, et que j'ai acheté chez John. Ce n'est pas un endroit très spacieux quant au nombre de mètres carrés, mais placez-vous devant n'importe quelle étagère – Nouveautés, Fiction. Histoire, Philosophie, Poésie, Voyage – et l'espace mental représenté est aussi vaste que l'univers.

La deuxième photo est d'une petite et vénérable librairie de livres d'occasion, rue Milton, à Montréal ; elle s'appelle The Word. Elle est fréquentée depuis des générations par des étudiants. J'y suis entré pour acheter un roman de l'écrivaine anglaise Ivy

Compton-Burnett, que Bennett mentionne dans son livre et que je n'avais jamais lue. J'ai trouvé *A Family and a Fortune*, publié en 1939. Ça m'a coûté 3,95 $.

La dernière photo est de la Librairie du Square, une librairie francophone à Montréal. C'est mon père qui a fait placer le poster rouge que vous voyez dans la porte de verre. Ce poster annonce un

événement organisé par le PEN-Club québécois, Amnistie Internationale et l'UNEQ et qui a à voir avec la liberté d'expression et les écrivains emprisonnés.

Les librairies indépendantes sont une espèce qui tend à disparaître, surtout en Amérique du Nord. Ceux qui souffrent le plus de cette disparition ne sont pas nécessairement les lecteurs, mais les voisinages. Après tout, une grande succursale de Chapters ou Indigo ou Barnes & Noble offre plus de livres qu'un lecteur pourra jamais en lire au cours de sa vie. Mais les succursales de grandes chaînes sont habituellement moins nombreuses et ne sont souvent pas accessibles à pied. Le libraire Bookseller Crow, par ailleurs, se trouve dans une allée de petits magasins qui incluent une boutique de vêtements, un café, une animalerie spécialisée dans les poissons, un marchand de chaussures, un agent d'immeubles, un coiffeur, un marchand de journaux, une pâtisserie, un bureau de paris, un certain nombre de restaurants, etc. The Word et La Librairie du Square se trouvent sur des rues où des milliers de gens marchent chaque jour. Chaque fois qu'un libraire indépendant disparaît, il est possible que des détenteurs de parts soient plus riches quelque part dans le monde, mais un voisinage s'en trouve forcément appauvri.

Je m'excuse d'écrire une lettre aussi débordante, mais il y a une dernière chose que je voudrais mentionner. Il y a quelques semaines, le 20 octobre exactement, j'ai lu un article dans le *New York Times* sur un homme en Colombie qui depuis une dizaine d'années se déplace à travers son coin de pays déchiré par la guerre avec deux ânes – appelés Alfa et Beto – chargés de livres. Il s'arrête dans chaque village isolé pour faire la lecture aux enfants et pour prêter des livres. Il a commencé son Biblioburro, comme il l'appelle, quand il a remarqué le pouvoir de transformation qu'avait la lecture sur ses élèves qui grandissaient en des temps de conflit et dans un environnement violent. Dix ans plus tard, Luis Soriano dit de son initiative qu'elle est devenue une obligation qui est maintenant perçue comme une institution.

Le bibliobus de la Ville de Westminster et le Biblioburro, la librairie Bookseller Crow on the Hill et la Librairie du Square – la richesse de l'esprit que ces institutions offrent fait de nous tous de joyeux êtres égaux, depuis les monarques jusqu'aux pauvres petits enfants de paysans.

Cordialement vôtre,
Yann Martel

Alan Bennett (né en 1934), auteur, acteur, humoriste et dramaturge anglais. Son premier grand succès fut comme coauteur et étoile de la revue de music-hall humoristique *Beyond the Fringe*. Il joua ensuite dans de multiples productions au théâtre, à la radio et à la télévision ; il a publié de nombreuses nouvelles, de courts romans, des textes en prose et des pièces de théâtre. Parmi un grand nombre de réussites, on compte son adaptation au cinéma de *The Madness of King George*, primé aux oscars ; il est l'auteur de la pièce *The History Boys*, qui lui a mérité deux Laurence Olivier Awards et qui fut adaptée à l'écran.

LIVRE 44

La terre chinoise
de Pearl Buck

À Stephen Harper,
premier ministre du Canada,
un roman sur la bonne fortune et sa perte,
d'un écrivain canadien,
avec ses meilleurs vœux,
Yann Martel

Le 8 décembre 2008

Cher Monsieur Harper,

L'un des aspects curieux de la vie et de l'œuvre de Pearl Buck est la rapidité avec laquelle elle a atteint la gloire, puis est passée à une relative obscurité. Son premier livre a été publié en 1930. Huit ans plus tard, à l'âge remarquablement précoce de 46 ans, elle reçut le prix Nobel de littérature, seulement la troisième personne de citoyenneté américaine ainsi honorée, et ce, principalement sur la base des trois romans qui forment la trilogie *La terre chinoise* : *La terre chinoise* (1931), roman pour lequel on lui attribua le prix Pulitzer, *Les fils de Wang Lung* (1932), et *La famille dispersée* (1935). C'est *La terre chinoise* que je vous offre aujourd'hui.

Et pourtant, malgré ce départ fulgurant, même si elle continua de produire de nombreux livres et par ailleurs défendit plusieurs bonnes causes, Buck disparut de l'avant-scène littéraire, pour ainsi dire, tant et si bien qu'au moment de sa mort, en 1973, elle avait presque été oubliée. Les raisons de cela, je crois, sont plutôt faciles à identifier. Elle écrivit trop de livres – plus de quatre-vingts – et tout en étant une écrivaine de qualité, elle n'était guère innovatrice. Elle n'a pas renouvelé le roman ni son langage comme l'ont fait Faulkner et Hemingway, d'autres Américains qui continuent à ce jour d'être beaucoup lus et étudiés. Et puis on ne peut donner à ses livres, au moins à ceux que je connais, le qualificatif d'*universels* qui vaut à certains auteurs l'immortalité littéraire. Non, les livres qui ont fait sa renommée étaient de couleur typiquement locale, on pourrait même dire enracinés. Pearl Buck a été l'un des premiers écrivains à donner vie aux yeux des lecteurs occidentaux à ce pays-civilisation qu'est la Chine. C'était un pays qu'elle connaissait bien puisqu'elle y avait passé une bonne partie de sa vie en tant que fille de missionnaires chrétiens et puis elle-même en tant que missionnaire et enseignante. Malgré les difficultés qu'elle y subit parfois, la Chine était un pays qu'elle aimait. Elle en voyait les habitants tout simplement comme des individus qui lui étaient familiers, et elle les observait avec une grande sympathie ; elle se mêlait à eux et, éventuellement, elle écrivit à leur sujet. C'était une écrivaine qui édifiait un pont et bien des gens ont souhaité franchir ce pont qu'elle avait construit.

Vous allez comprendre pourquoi en lisant *La terre chinoise*. Dès la première ligne – « C'était le jour du mariage de Wang Lung » –, vous vous glissez dans la peau d'un paysan chinois de l'époque antérieure aux communistes et vous commencez à vivre sa vie telle qu'il la voit et telle qu'il la ressent. C'est une histoire dure, affligée par la pauvreté et la famine, et qui est encore plus pénible pour les femmes, mais elle est aussi totalement prenante. *La terre chinoise* est le type de roman auquel vous aurez hâte de revenir chaque fois que votre lecture aura été interrompue. Après l'avoir lu, vous aurez le sentiment de savoir ce que cela pourrait vouloir dire d'avoir été chinois à un certain moment dans une certaine région de la Chine. Voilà bien l'aspect révolu des œuvres de Buck. La Chine a radicalement changé depuis que *La terre chinoise* a été publiée. Ce qui était nouveau et révélateur alors est maintenant suranné et dépassé. De nos jours, le principal intérêt de l'œuvre de Buck tient à la puissance de ses histoires plutôt qu'à leur pérennité.

La terre chinoise demeure cependant une excellente introduction à la Chine de naguère et une parabole convaincante sur la fragilité de la bonne fortune, la perte possible de ce qu'on a gagné, la destruction facile de ce qu'on a construit. Vous n'allez pas manquer de remarquer cela, pris comme vous l'êtes au cœur d'une tempête politique. Le sort d'un homme politique est terriblement incertain.

Pearl Buck est une habituée de toutes les librairies de livres d'occasion. On continue de la lire beaucoup. Son nom rappelle de beaux souvenirs. Tandis que des hommes politiques, quand ils partent, quand ils quittent la scène, en résistant parfois bruyamment, partent véritablement, ils disparaissent. Et bientôt les gens se creusent la tête pour essayer de se souvenir quand, exactement, ils ont été au pouvoir et ce qu'ils ont accompli.

Cordialement vôtre,
Yann Martel

Pearl S. Buck (1892-1973), la première femme américaine à gagner le prix Nobel de littérature, en 1938. Née aux États-Unis mais élevée à Zhenjiang, dans l'est de la Chine, elle fut une fervente étudiante de l'histoire et de la société chinoises, ce qui contribua énormément aux descriptions précises et vives de la vie chinoise dans ses nombreux romans. En plus d'être une écrivaine prolifique, elle a créé l'organisme Welcome House, la première agence internationale d'adoption interraciale.

LIVRE 45

Fictions
de Jorge Luis Borges

À Stephen Harper,
premier ministre du Canada,
un livre que vous allez peut-être aimer, ou pas,
d'un écrivain canadien,
avec ses meilleurs vœux,
Yann Martel

Le 22 décembre 2008

Cher Monsieur Harper,

Il y a environ vingt ans, j'ai lu pour la première fois *Fictions*, le recueil de nouvelles de l'auteur argentin Jorge Luis Borges (1899-1986), et je me souviens de ne l'avoir pas beaucoup aimé. Mais Borges est un auteur très célèbre, originaire d'un continent à riche tradition littéraire. Mon absence d'appréciation tenait sans doute à un manque chez moi, à mon immaturité. Vingt ans plus tard, j'allais sûrement reconnaître son génie et me joindre aux légions de lecteurs qui tiennent Borges pour l'une des grandes plumes du XXᵉ siècle.

Eh bien, ce changement d'opinion n'a pas eu lieu. En relisant *Fictions*, j'ai été aussi peu impressionné que je me souviens de l'avoir été il y a deux décennies.

Ces histoires sont des jeux intellectuels, des formes littéraires du jeu d'échec. Elles commencent bien simplement, comme si un pion avançait, dirait-on, à partir de prémisses fantaisistes – souvent des univers alternatifs ou des livres fictifs – qui sont ensuite développées de manière rigoureuse et organique par Borges jusqu'à ce qu'elles atteignent un maximum de complexité qui aurait plu à Bobby Fischer. En fait, la comparaison avec les échecs n'est pas tout à fait correcte. Les pièces d'échec, tout en se déplaçant très librement, ont des rôles déterminés, établis par une coutume séculaire. Les pions bougent juste d'une manière, tout comme les tours et les cavaliers et les reines. Chez Borges, les pièces sont jouées n'importe comment, les tours se déplacent en diagonale, les pions latéralement, et ainsi de suite. Le résultat donne des histoires surprenantes et pleines d'invention, mais dont les idées ne peuvent être prises au sérieux parce que l'auteur lui-même ne les prend pas au sérieux, lui qui joue de manière aléatoire avec elles, comme si les idées n'étaient pas importantes. De là l'érudition éblouissante mais trompeuse de *Fictions*. Permettez-moi de vous donner un court exemple, pris au hasard. À la page 68 de la nouvelle « La Bibliothèque de Babel », qui parle d'un univers dessiné comme une immense et infinie bibliothèque, on peut lire le passage suivant au sujet d'un certain livre de cette bibliothèque :

> Il montra ce qu'il avait trouvé à un déchiffreur ambulant, qui lui dit que ces lignes avaient été écrites en portugais ; d'autres dirent que c'était en yiddish. En l'espace d'un siècle, des experts avaient fini par déterminer que la langue utilisée était en fait du lituanien-samoyèdes dialectal du guarani, avec des désinences et des inflexions d'arabe classique.

Du lituanien-samoyèdes dialectal du guarani, avec des désinences et des inflexions d'arabe classique ? Intellectuellement, c'est d'un comique un peu adolescent. Il y a un plaisir de l'esprit à constater la juxtaposition de ces diverses langues d'une manière aussi inattendue. Mentalement, on parcourt la carte du monde. Mais c'est aussi un non-sens linguistique. Le samoyède et le lituanien appartiennent à des familles linguistiques distinctes – le premier est de l'Oural, le second est baltique –, il est donc très improbable qu'ils se mélangent jamais pour former un dialecte, et encore moins un dialecte du guarani, qui est une langue indigène de l'Amérique du Sud. Quant aux désinences d'arabe classique, elles impliquent encore un autre passage impossible des frontières culturelles et historiques. Voyez-vous à quel point cette approche, si elle est poursuivie sans fin, finit par ridiculiser les idées ? Si l'on mélange ainsi les idées juste pour l'esbroufe et l'humour, alors finalement elles en deviennent elles-mêmes réduites à l'esbroufe et à l'humour. Et c'est bien ce que fait Borges sans cesse, ligne après ligne, page après page. Son livre est plein de charabia savant qui est ironique, magique, absurde. L'un des jeux qu'implique *Fictions*, c'est : saisissez-vous l'allusion ? Si vous la saisissez, vous vous sentez intelligent, si vous ne la saisissez pas, ce n'est pas grave, c'est probablement forgé de toutes pièces, car une large part de l'érudition du livre est pure invention. La seule nouvelle que j'aie trouvée véritablement engageante intellectuellement, c'est-à-dire qui présentait un point de vue propre à faire réfléchir sérieusement, était « Trois versions de Judas », où on commente le caractère et les implications théologiques du personnage de Judas. Cette nouvelle m'a fait m'arrêter pour réfléchir. Au delà du coup d'éclat, là, j'ai trouvé une certaine profondeur.

On décrit souvent Borges comme un écrivain pour les écrivains. Cela est censé vouloir dire que les écrivains trouvent chez lui les meilleures qualités du métier. Je ne suis pas sûr d'être d'accord. D'après moi, un grand livre fait croître l'engagement du lecteur face au monde. On pourrait croire qu'on se détourne du monde en lisant un livre, mais seulement pour mieux voir le monde quand on a fini de le lire. Les livres alors enrichissent l'acuité visuelle. Or plus je lisais Borges, plus le monde se rétrécissait et s'éloignait.

Il y a une chose que j'ai remarquée cette fois-ci et qui ne m'est pas apparue la première fois, et c'est le nombre extraordinaire de noms masculins dont est parsemée la narration, la plupart d'entre eux des écrivains. Le monde romanesque de Borges est pour ainsi dire exclusivement masculin. C'est tout juste si les femmes y existent. Les seules femmes écrivaines mentionnées dans *Fictions* sont Dorothy Sayers, Agatha Christie et Gertrude Stein, ces deux dernières citées dans « Examen de l'œuvre d'Herbert Quain » et ce n'est que pour avancer un argument négatif. Dans « Pierre Ménard, auteur du Quichotte », il y a une baronne de Bacourt et une Madame Henri Bachelier (notez comme le nom de Mme Bachelier est complètement masqué par celui de son mari). Il y en a peut-être quelques autres que j'ai ratées au passage. Autrement, le lecteur rencontre des amis masculins et des écrivains masculins et des personnages masculins par douzaines. Ce n'est pas rien qu'une statistique féministe. Cela laisse plutôt supposer la relation de Borges avec le monde. L'absence de femmes dans ses nouvelles correspond à l'absence de toute relation intime. Ce n'est que dans la dernière nouvelle, « Le Sud », qu'il y a un peu de chaleur, une authentique douleur qu'on peut ressentir entre les personnages. Il y a chez Borges un échec à s'engager dans les complexités de la vie, les complexités de la vie matrimoniale ou parentale, ou même, dans n'importe quel autre engagement émotif. Celui que nous avons devant nous est un mâle solitaire qui vit totalement dans sa tête, quelqu'un qui a refusé de se joindre à la masse et s'est plutôt caché dans ses livres et a élaboré des fantaisies les unes après les autres. Et donc ma conclusion cette fois-ci, tout comme ma déduction initiale déconcertée, reste : c'est du travail juvénile, ça.

Pourquoi donc vous envoyer un livre que je n'aime pas ? Pour une bonne raison : parce qu'il faut avoir des lectures étendues, y inclus de livres qu'on n'aime pas. On évite ainsi les possibles écueils de l'autodidacte qui risque de déterminer ses lectures afin de conforter ses propres limites, se trouvant ainsi à les accroître. L'avantage d'un apprentissage structuré dans les divers établissements d'éducation disponibles à chacun à tout âge de la vie est qu'il faut frotter son intelligence à des systèmes d'idées qui se sont développés au cours des siècles. On confronte ainsi son propre esprit à de nouvelles idées insoupçonnées.

Ce qui revient à dire qu'on apprend et qu'on est formé autant par les livres qu'on a aimés que par ceux qu'on n'a pas aimés.

Et il se peut également, bien sûr, que vous adoriez Borges. Vous pourriez trouver que ses histoires sont magnifiques, profondes, originales et divertissantes. Vous pourriez penser que je devrais le relire une fois de plus dans vingt ans. Peut-être alors serais-je prêt à apprécier pleinement Borges.

Pour l'instant, je vous souhaite, ainsi qu'à votre famille, un très joyeux Noël

Cordialement vôtre,
Yann Martel

Jorge Luis Borges (1899-1986), poète, nouvelliste, auteur d'anthologies, critique, essayiste et bibliothécaire argentin. Dans ses écrits, il a souvent exploré les concepts de réalité, d'idées philosophiques, d'identité et de temps, utilisant fréquemment les métaphores de labyrinthes et de miroirs. En 1961, il partagea avec Samuel Beckett le prix Formentor, acquérant ainsi un prestige international. En plus d'écrire et de prononcer des conférences aux États-Unis, il fut directeur de la Bibliothèque nationale d'Argentine, accédant à ce poste au moment où, ironiquement, il perdait la vue.

LIVRE 46

Blackbird Singing, poèmes et textes de chansons 1965-1999
de Paul McCartney

À Stephen Harper,
premier ministre du Canada,
Hey Jude
d'un écrivain canadien,
avec ses meilleurs vœux,
Yann Martel

Le 5 janvier 2009

Cher Monsieur Harper,

Noël m'a pris par surprise, cet hiver. C'était tout à coup le 25 décembre et j'ai réalisé que j'avais commis cette fréquente erreur qui gruge la vie : j'avais oublié de noter le passage du temps. Cette défaillance était visible dans le dernier livre que je vous ai envoyé. Quoique original et plein d'imagination, *Fictions* de Borges ne correspondait pas à l'originalité et à l'imagination des livres que je vous avais fait parvenir l'an dernier pour Noël (parlant du passage du temps, ça me fait penser qu'on en est à notre second Noël, vous et moi). Il s'agissait, vous vous en souviendrez, de trois livres pour enfants : *Les frères Cœur-de-Lion*, *Imagine un jour* et *Les mystères de Harris Burdick*. Ils correspondaient bien à une saison des fêtes. Votre famille et vous, avez-vous pris plaisir à les lire ? Vous avez souri, vous avez ri, en les lisant ? Cette semaine, je vous envoie un livre qui, je l'espère, saura vraiment vous faire plaisir, que vous allez développer, pour ainsi dire, et auquel vous allez réagir avec surprise et joie. En d'autres mots, un vrai livre de Noël.

Je crois comprendre que vous êtes un fan des Beatles. Voici donc un choix de poèmes et de textes de chansons par Paul McCartney. Les chansons qu'il a écrites en tant que Beatle m'ont sauté aux yeux. Il m'a paru impossible de lire « The Fool on the Hill » ou

« Eleanor Rigby » ou « Lady Madonna » ou « Maxwell's Silver Hammer » ou « Lovely Rita » ou « Rocky Racoon » ou « When I'm Sixty-Four », parmi d'autres, avec la voix calme et égale de la prose habituelle. Je chantais plutôt dans ma tête, interrompant ma lecture pour laisser les musiciens jouer leur partie. Je ne connais pas bien la carrière ultérieure de McCartney avec The Wings, ou comme artiste solo, alors ces chansons postérieures restaient pour moi plus tranquilles sur la page, tout comme les poèmes. En général, j'ai pu distinguer les paroles de chansons des poèmes parce que celles-là étaient plus répétitives et qu'on aurait dit qu'il leur manquait quelque chose pour atteindre l'autonomie littéraire. Et c'est en consultant la table des matières que je constatais qu'il s'agissait, le plus souvent, de paroles écrites pour une chanson des Wings.

Les paroles d'une chanson, je m'en suis rendu compte, sont inséparables de leur mélodie. La mélodie offre le *support*, coupant court à l'incrédulité et au cynisme ou permettant de s'ouvrir à ce qui est défendu, tandis que les paroles fournissent le contenu, nous invitant à comparer notre propre expérience de la vie avec ce que raconte la chanson ou, mieux encore, nous conviant à chanter à l'unisson. La possibilité d'écouter une chanson en en comprenant les paroles et de l'accompagner en chantant est essentielle pour qu'elle plaise, car comprendre et chanter engagent une participation directe et personnelle de l'auditeur. Cette participation, soit l'occasion d'entremêler étroitement sa propre vie, ses propres rêves avec une chanson, explique la raison pour laquelle une œuvre aussi courte – la plupart des chansons des Beatles de la première époque durent moins de deux minutes – peut marquer une personne aussi profondément et aussi rapidement. C'est là l'illusion captivante d'une grande chanson : elle s'adresse à chacun de nous individuellement, avec une voix qui nous attire, et nous écoutons donc avec attention, immédiatement happés par un monde de rêve. Qui n'a pas été ému jusqu'au fond du cœur par une chanson, écoutée les yeux fermés et le corps tremblant d'émotion ? Dans cet état, nous laissons apparaître des sentiments que nous serions trop timides pour décrire de vive voix – un désir cru et puissant, par exemple – ou qui vont loin en nous mais sont trop ordinaires pour que nous en parlions : solitude, désir ardent, peine de cœur.

Une bonne chanson, c'est un tour de magie difficile à réussir. Les musiciens classiques lèvent le nez sur les mélodies sans sophistication de la musique populaire, tandis que les poètes plus littéraires méprisent la banalité des paroles de chansons, mais il y a une bonne dose d'envie dans ces ressentiments. Quel violoniste, quel poète n'aimerait pas voir devant lui ou devant elle un stade plein d'auditeurs envoûtés ? Quoi qu'il en soit, Paul McCartney, grâce à des paroles attachantes et des mélodies fascinantes, au sein de l'incroyable énergie créatrice propre aux Beatles, aidé d'une façon magistrale par le producteur George Martin, a réussi ce tour de magie avec un tel succès que toutes les générations depuis le milieu des années soixante sont tombées amoureuses de ses chansons. Mais ça, vous le savez déjà.

Cordialement vôtre,
Yann Martel

Paul McCartney (né en 1942) est une icône musicale depuis près de cinquante ans, auteur de chansons, de trames sonores pour le cinéma et d'orchestrations musicales. Il est surtout fameux en tant que membre du groupe pop The Beatles, dont il a écrit, avec John Lennon, les meilleures chansons. Son succès s'est poursuivi après la dissolution du groupe en 1970. Il est aussi connu pour son activisme à la défense des animaux.

LIVRE 47

The Lesser Evil: Political Ethics in an Age of Terror
de Michael Ignatieff

À Stephen Harper,
premier ministre du Canada,
un livre pour un leader d'un leader,
d'un écrivain canadien,
avec ses meilleurs vœux,
Yann Martel

Le 19 janvier 2009

Cher Monsieur Harper,

Bon, on retourne au boulot. Et vous, et moi. Je suis en train de réécrire mon prochain livre, pour la troisième et dernière fois, je l'espère, et il y a une nouvelle session de la Chambre des communes qui commence prochainement. Nous aurons tous les deux un hiver occupé.

Vous avez dit, me semble-t-il, lors d'une entrevue récente, que vous n'aviez pas beaucoup lu les œuvres de Michael Ignatieff. Manifestement, cette lecture s'impose maintenant à vous, n'est-ce pas ? Après tout, vous allez lui faire face tous les jours à la Chambre des communes cette année – il pourrait même prendre votre emploi –, il serait donc avantageux pour vous d'en venir à mieux connaître sa pensée. Je dois dire que cet homme a un curriculum impressionnant : des diplômes des universités de Toronto, d'Oxford et de Harvard ; des postes d'enseignant à Cambridge, aux Hautes Études à Paris, et aussi à Harvard ; une carrière à la télévision et en journalisme ; seize livres dont il est l'auteur (dont trois romans) – je ne peux trouver aucun autre aspirant au poste de premier ministre du Canada qui ait eu une trajectoire comparable. Il y a eu certes des premiers ministres qui avaient une formation de haut niveau ou qui ont écrit des livres, mais aucun dans cette mesure. Est-ce que cela signifie qu'il a l'étoffe d'un premier ministre hors pair ? Bien sûr que non. Le leadership ne peut être simplement ramené à des qualifications universitaires ou à des livres sur une tablette. La personnalité, la vision, l'instinct, l'entregent, les connaissances pratiques, la ténacité, la résilience, les dons oratoires, le charisme, la chance – il y a bien des éléments qui font de quelqu'un un leader politique, en plus de la matière grise.

Cela dit, une grande intelligence ne peut pas nuire, surtout si elle a été mise à contribution de manières pratiques, comme c'est le cas pour M. Ignatieff. Il n'a guère habité la proverbiale tour d'ivoire pendant les années qui ont précédé son élection au Parlement. Son intérêt pour les droits de la personne et la démocratie est véritable, et non théorique. Il s'est rendu dans de nombreuses régions de conflit sur cette planète afin de chercher une réponse à la question essentielle : quelle est la meilleure manière de se gérer pour une société ? Si jamais M. Ignatieff emménage au 24, promenade Sussex, les Canadiens et Canadiennes vont sûrement y gagner en objectifs de politique publique qui soient judicieux et éclairés. Réussira-t-il à atteindre ces buts ? Va-t-il savoir quand écouter, quand accepter un compromis, quand agir de façon décisive ? De nombreux politiciens sont arrivés au pouvoir avec des idées établies sur la manière de corriger les choses, et ont constaté que la réalité était soit plus complexe, soit plus réfractaire au changement qu'ils ne s'y attendaient. Nous verrons bien dans les prochains mois comment Michael Ignatieff s'en tirera.

Entre-temps, afin de faciliter des points de repère non seulement pour traiter avec le nouveau leader de la loyale opposition de Sa Majesté, mais aussi pour établir des politiques, je vous envoie *The Lesser Evil : Political Ethics in an Age of Terror* (non encore traduit en français), un livre assez récent de votre collègue parlementaire, publié en 2004. L'illustration de couverture semble terne. On l'a choisie pour une bonne raison : c'est la photographie d'un escalier à Auschwitz. Il y a des gens qui ont monté et descendu ces marches et qui étaient entre les griffes d'une moralité politique terriblement erronée. Comme je l'ai dit, il n'y a rien d'abstrait dans les préoccupations de M. Ignatieff. Il observe des dilemmes politiques de la vie réelle et cherche à trouver d'où est venue l'erreur et comment cette erreur peut être corrigée.

The Lesser Evil est une étude sur les démocraties libérales et le terrorisme. De quelle façon un peuple qui valorise hautement la liberté et la dignité humaine traite-t-il ceux qui commettent des actes de violence insensée contre lui ? Quel est l'équilibre approprié entre les exigences concomitantes, voire rivales, des droits et de la sécurité ? Qu'est-ce qu'une société démocratique peut se permettre de faire tout en continuant de s'appeler démocratique ? Voici quelques-unes des questions auxquelles M. Ignatieff tente de répondre. Il observe des nations aussi distinctes que la Russie, le Royaume-Uni, les États-Unis, l'Allemagne, l'Italie, l'Espagne, le Sri Lanka, le Chili, l'Argentine, Israël et la Palestine non seulement dans leur forme actuelle, mais aussi historiquement, pour voir comment ces pays ont traité les assauts des terroristes. Il fait aussi des références littéraires, à Dostoïevski et à Conrad, à Euripide et à Homère. Tout du long, l'approche est ouverte, équilibrée et critique, l'analyse est rigoureuse et pénétrante, les conclusions sont sages. Finalement, et ce n'est pas la moindre des qualités de l'ouvrage, le style est agréable. M. Ignatieff a une belle plume. La phrase que j'ai préférée dans le livre se trouve à la page 121 : « Les États libéraux ne peuvent être protégés par des herbivores. »

M. Ignatieff est un défenseur à la fois passionné et nuancé des démocraties libérales et il considère qu'en général les outils dont elles disposent déjà suffiront en temps de menaces terroristes. En fait, il argumente qu'une réaction excessive à une menace peut à la longue causer plus de tort à une démocratie libérale que la menace elle-même. Le Patriot Act aux États-Unis et la loi C-36 au Canada sont deux exemples que donne M. Ignatieff de tentatives bien intentionnées mais superflues et peu judicieuses de faire face au terrorisme. Quand les recours disponibles ne suffisent pas, il reconnaît que les choix qui restent aux démocraties libérales sont difficiles. Dans le cas d'une société qui porte haut la valeur de la liberté et de la dignité humaine et qui fait face à une menace contre son existence, il affirme qu'elle doit aller au delà d'un perfectionnisme moral ou d'une application utilitariste absolue pour s'engager – avec circonspection, conscience et vigilance – sur le sentier du moindre mal, en d'autres mots commettre certaines transgressions justifiables afin de sauver l'ensemble de la société. C'est là une position qui cherche à réconcilier le *réalisme* nécessaire pour combattre le terrorisme et l'*idéalisme* de nos valeurs démocratiques. Tracer son chemin en terrain aussi miné, accepter de discuter des détails et de parler de la torture et des actions militaires préventives, pour ne citer que deux exemples, exige un esprit solide, pénétrant et courageux. Je suis heureux de dire que M. Ignatieff possède un tel esprit.

Cordialement vôtre,
Yann Martel

Michael Ignatieff (né en 1947), leader du Parti libéral du Canada. Avant sa carrière politique, il a détenu de nombreux postes importants dans les domaines universitaire et médiatique. Il a été membre du corps professoral d'Oxford, de Cambridge et de l'Université de Toronto et fut directeur, de 2000 à 2005, du Carr Centre for Human Rights Policy de Harvard. Pendant qu'il vivait en Angleterre, il travailla comme réalisateur de documentaires et commentateur politique à la BBC. Il est l'auteur de seize livres, dont une biographie d'Isaiah Berlin et trois romans.

LIVRE 48

Gilead
de Marilynne Robinson

À Stephen Harper,
premier ministre du Canada,
un choix d'Obama,
d'un écrivain canadien,
avec ses meilleurs vœux,
Yann Martel

Le 2 février 2009

Cher Monsieur Harper,

Eh bien! Avec un budget comme celui-là, vous pourriez aussi bien être socialiste. C'est remarquable, tout ce que votre gouvernement a décidé de dépenser. Votre époque en tant que réformiste radical fermement résolu à réduire le gouvernement comme on fait rétrécir un chandail de laine dans de l'eau chaude doit dater d'une vie antérieure. Je me demande bien ce que pensent vos amis de la National Citizens Coalition? (Je m'interroge par ailleurs sur l'absence d'un possessif – *Citizens'* – dans le nom de cette organisation. J'ai vérifié sur son site Internet et c'est ainsi qu'on l'épelle. Est-ce que cette coalition est à ce point affiliée à la libre entreprise et effrayée d'un engagement social qu'elle ne puisse inscrire dans son nom l'inclusion des citoyens?)

Je crois comprendre que Michael Ignatieff s'est réjoui d'entendre des échos de ses propres déclarations dans le récent Discours du Trône (je vous joins l'article du *Globe and Mail*). Ne vous en faites pas, vous n'êtes pas le seul à reprendre ces mêmes idées. Le président Obama (comme ces mots résonnent bien à mes oreilles), en expliquant la raison pour laquelle il fermait le centre de détention de la Baie de Guantánamo et les prisons secrètes de la CIA à l'étranger et révoquait d'autres mesures antiterroristes discutables adoptées par George W. Bush, a utilisé un vocabulaire qui aurait pu être celui de

M. Ignatieff. À quel point nos idéaux démocratiques et libéraux doivent se refléter dans nos actions, à quel point nous ne devons pas sacrifier à la légère certains droits au nom d'un opportunisme sécuritaire excessif, à quel point nous allons triompher sur nos ennemis en gardant la foi dans nos idéaux, et non en les abandonnant, et ainsi de suite – tout cela est dans l'esprit du 47ᵉ livre de notre bibliothèque, *The Lesser Evil* (*Le moindre mal*). De toute évidence, bien des gens partagent les opinions de M. Ignatieff, marquées et nourries comme elles le sont par un courant de pensées qui est de plus en plus largement accepté ; vous avez donc bien raison de vous y ouvrir.

À propos du président Obama, c'est grâce à lui que je vous envoie le roman *Gilead*, de la romancière américaine Marilynne Robinson. C'est l'un de ses romans favoris. C'est ce que j'ai découvert dans un article du *New York Times*, que je joins aussi à cette lettre. Il se trouve que Barack Obama est un lecteur, un grand lecteur. Et les livres qu'il a lus et qu'il a aimés ne sont pas simplement des ouvrages pratiques que celui qui s'intéresse à la gouvernance aurait naturellement choisis. Non, il apprécie aussi la poésie, la fiction, la philosophie : la Bible, les tragédies de Shakespeare, Melville, Toni Morrison, Doris Lessing, les poètes Elizabeth Alexander et Derek Walcott, les philosophes Reinhold Nieburh et saint Augustin, et bien d'autres. Ils ont façonné son éloquence, sa pensée, son être même. C'est un homme né des mots, bâti par les mots et il a impressionné le monde entier.

Je vous recommanderais ardemment de lire *Gilead* avant de rencontrer le président Obama le 19 février. En effet, quand deux personnes se réunissent pour la première fois, il n'y a rien comme de parler d'un livre que tous les deux ont lu pour créer une ambiance conviviale et une espèce d'intimité, pour donner le sentiment de connaître l'autre sous un angle restreint, certes, mais important. Après tout, partager l'amour d'un livre laisse supposer une émotion commune, une reconnaissance mutuelle du monde qui s'y reflète. Tout cela, bien sûr, en supposant que vous aimiez ce livre.

Ça ne devrait pas être difficile. Il y a bien des choses à aimer dans *Gilead*. C'est un roman lent et honnête, imprégné d'émerveillement et d'étonnement (ces deux mots, *wonder* et *amazement*, apparaissent souvent dans le livre), et curieusement religieux, presque pieux. Il n'y a pas de chapitres, seulement des notes séparées par des espaces, comme s'il s'agissait d'un journal intime. La narration est décontractée et sporadique, donnant l'impression qu'elle est improvisée, spontanée, mais c'est en fait une structure romanesque précise, qui gagne en force à mesure qu'elle avance. Il n'y a pas d'ironie banale, l'auteure ne cherche pas à séduire en utilisant un humour facile. Au contraire, le ton est sobre, sans heurts, intelligent. C'est John Ames qui raconte l'histoire, un prédicateur âgé qui souffre d'une maladie cardiaque qui va sans doute le tuer bientôt. Il a un jeune fils de sept ans, qui lui est venu tard, issu d'un mariage à l'automne de sa vie à une femme bien plus jeune, très aimée. Il veut que le fils connaisse quelque chose de son père, du père de son père, et du père du père de son père – chacun d'entre eux portant le nom de John Ames, chacun d'entre eux prédicateur –, alors il écrit une longue lettre que son fils lira quand il en aura l'âge. En apparence, le style est simple, une narration claire et poétique où l'on parle beaucoup de Dieu et du peuple de Dieu et de la signification de la vie, en y ajoutant quelques références au baseball. Un livre très américain, donc, un roman comme Ralph Waldo Emerson en aurait écrit si Emerson avait écrit de la fiction. *Gilead* est une œuvre élégante, pleine de grâce, qui possède le rayonnement propre à ce qui est profond. C'est un roman qui se veut une église, paisible, meublée avec parcimonie, à la lumière blanche, empreinte de Présence et ancrée dans l'essentiel. Si un roman doit vous donner un sentiment de quiétude, c'est bien celui-ci.

J'espère qu'il vous plaira. Sinon, souvenez-vous quand même que c'est l'une des clés qui vous donnerait accès à l'esprit de l'actuel président des États-Unis.

Cordialement vôtre,
Yann Martel

Marilynne Robinson (née en 1943), auteure américaine de deux œuvres de non-fiction, *Mother Country* et *The Death of Adam*, et de trois romans. Son premier roman, *Housekeeping*, lui a mérité le prix Hemingway Foundation/Pen et fut finaliste au prix Pulitzer. Pour son deuxième roman, *Gilead*, elle a reçu de nombreux prix dont le Pulitzer, le National Book Critics Circle Award et le Ambassador Book Award. Pour son troisième roman, *Home*, elle a obtenu le prix Orange 2009. Elle détient un doctorat de l'Université de Washington et elle enseigne actuellement à l'école de création littéraire Iowa Writers' Workshop.

Livre 49

Le vieil homme et la mer
d'Ernest Hemingway

À Stephen Harper,
premier ministre du Canada,
d'un écrivain canadien,
avec ses meilleurs vœux,
Yann Martel

Le 16 février 2009

Cher Monsieur Harper,

Le célèbre Ernest Hemingway. *Le vieil homme et la mer* est l'une de ces œuvres littéraires dont presque tout le monde a entendu parler, même ceux qui ne l'ont pas lue. Malgré sa brièveté – à peine cent vingt-sept pages bien aérées dans l'édition que je vous envoie –, le roman a exercé une influence durable sur la littérature de langue anglaise, tout comme l'ensemble de l'œuvre de Hemingway. Je dirais que ses nouvelles, rassemblées dans les recueils *De nos jours*, *Hommes sans femmes* et *Le gagnant ne gagne rien*, parmi d'autres, sont ses plus grandes réussites – et par-dessus toutes, la nouvelle « La grande rivière au cœur double » –, mais ses romans *Le soleil se lève aussi*, *L'adieu aux armes* et *Pour qui sonne le glas* sont beaucoup plus lus.

La grandeur de Hemingway ne tient pas tant à ce qu'il a dit qu'à la façon dont il l'a dit. Il a pris la langue anglaise et il l'a écrite comme elle ne l'avait jamais été. Si vous comparez Hemingway, né en 1899, à Henry James, mort en 1916, ce chevauchement de dix-sept ans semble incroyable tant leur style est différent. Chez James, on atteint le portrait de la vérité, la vraisemblance, le réalisme, quel que soit le nom qu'on lui donne, grâce à une abondance baroque de langage. Le style de Hemingway est tout à fait contraire. Il dépouille le langage de tout ornement, accordant à sa prose des adjectifs et des adverbes comme un médecin prudent prescrirait des cachets à un patient hypocondriaque. Le résultat est une prose d'un laconisme révolutionnaire, marquée d'une cadence, d'une vigueur et d'une simplicité réduite à l'essentiel qui rappelle un texte beaucoup plus ancien : la Bible.

Cette connexion n'est pas fortuite. Hemingway connaissait bien le langage et les images bibliques et on peut lire *Le vieil homme et la mer* comme une allégorie chrétienne, quoique je n'irais pas jusqu'à dire qu'il s'agit là d'une œuvre religieuse, certainement pas autant que le roman que je vous ai envoyé il y a une quinzaine, *Gilead*. C'est plutôt que Hemingway se sert du passage du Christ sur terre d'une manière laïque afin d'explorer la signification de la souffrance humaine. « *Grace under pressure* » (« La résilience face à l'adversité ») – c'est la manière habituelle de nommer le cran manifesté par de nombreux personnages chez Hemingway. Une autre façon de le dire, ce serait : obtenir la victoire en passant par la défaite, ce qui serait plus fidèle, je crois, à l'odyssée de Santiago, le vieil homme du titre, odyssée quasi propre au Christ. Car, en ce qui concerne le Christ, l'idée capitale de l'apôtre Paul – idée dont certains diraient qu'elle est un don de Dieu ,– c'est la possibilité du triomphe, du salut, au sein même de la ruine. C'est un message, c'est une croyance, qui transforme complètement l'expérience humaine. Les échecs professionnels, les désastres familiaux, les accidents, la maladie, la vieillesse, ces expériences humaines qui pourraient être par ailleurs tragiquement finales deviennent plutôt des événements qui sont des seuils vers autre chose.

En pensant à Santiago et à sa confrontation épique avec le grand marlin, je me suis demandé si cette histoire avait une dimension politique quelconque. J'en suis venu à la conclusion que non. En politique, la victoire est issue de la victoire et la défaite n'amène que la défaite. Le message du pauvre pêcheur cubain de Hemingway est purement personnel ; il s'adresse à l'individu en chacun de nous et non pas aux rôles que nous pourrions jouer. Malgré le vaste cadre extérieur, *Le vieil homme et la mer* est une œuvre intime de l'âme. Je vous souhaite donc à vous ce que je nous souhaite à tous : que notre retour de la haute mer soit aussi empreint de dignité que celui de Santiago.

Cordialement vôtre,
Yann Martel

Ernest Hemingway (1899-1961), journaliste, romancier et nouvelliste américain. Il est renommé internationalement pour ses romans *Le soleil se lève aussi*, *L'adieu aux armes*, *Pour qui sonne le glas* ét son roman court qui lui a valu le prix Pulitzer, *Le vieil homme et la mer*. La caractéristique de son style est qu'il est direct et sobre, offrant une prose rigoureusement construite. Il a été chauffeur d'ambulance pendant la Première Guerre mondiale, et fut l'un des membres les plus éminents du groupe des artistes et écrivains expatriés à Paris au cours des années vingt, connu sous le nom de «génération perdue». Il a reçu le prix Nobel de littérature en 1954.

Livre 50

Jane Austen, A Life
de Carol Shields

À Stephen Harper,
premier ministre du Canada,
notre cinquantième livre,
d'un écrivain canadien,
avec ses meilleurs vœux,
Yann Martel

Le 2 mars 2009

Cher Monsieur Harper,

Le questionnement délicat et pourtant insistant, la légèreté du toucher, la précision de l'exposé, la fine sensibilité morale, l'intelligence soutenue – il ne manque finalement plus que l'ironie de Jane Austen dans cet excellent ouvrage sur sa vie, écrit par Carol Shields ; cela est très bien ainsi, car l'emportement ironique n'a guère sa place dans une biographie qui se veut honnête. Par ailleurs, dénué de toute tentative d'imitation ou de pastiche, ce livre est tellement fidèle à son sujet, est tellement pris par ce que cela signifie d'être écrivaine, qu'on pourrait presque s'imaginer lire *Carol Shields, une vie*, de Jane Austen. Et ce n'est pas que Carol Shields s'immisce dans le texte de façon inconvenante. Pas du tout. Sauf dans le bref prologue, le pronom « je » pour désigner la biographe n'apparaît jamais. Ce livre n'est rien d'autre que la biographie de Jane Austen. Mais l'esprit de chacune des deux écrivaines, celui de la romancière anglaise qui a vécu de 1775 à 1817 et celui de la romancière canadienne qui a vécu de 1935 à 2003, ont tellement en commun qu'il se dégage du livre un sentiment d'amitié plutôt que d'analyse.

L'illusion de complicité est maintenue par le fait qu'on ne sait pas grand-chose de Jane Austen, même si elle a écrit six romans qui trônent de plein droit dans la bibliothèque de la grande littérature anglaise. Elle a écrit *Orgueil et préjugé, Raison et sentiments*,

Northanger Abbey, *Mansfield Park*, *Emma* et *Persuasion* dans une persistante obscurité rurale. Comme auteure, elle n'a été publiée que six ans avant sa mort et les quatre romans édités pendant sa vie l'ont été de manière anonyme, l'auteure n'étant identifiée que par les mots « Une Dame ». Et même quand on a su amplement après sa mort que la Dame en question avait été une certaine Jane Austen, résidante du village de Chawton, dans le Hampshire, la postérité n'en apprit pas beaucoup plus à son sujet. Jane Austen n'a jamais rencontré un autre auteur publié, elle n'a jamais été interviewée par un journaliste et n'a jamais évolué dans un cercle littéraire au delà de celui extrêmement restreint des membres de sa famille, lesquels furent ses premiers et ses plus loyaux lecteurs. Ce que ses lettres auraient pu nous apprendre d'elle n'est que partiel, car bon nombre d'entre elles furent détruites par sa sœur Cassandra. En d'autres mots, Jane Austen a vécu entourée de gens qui l'ont à peine notée, et j'utilise ce mot littéralement : à part quelques parents et amis, on a écrit bien peu du vivant de Jane Austen qui aurait pu nous aider à nous familiariser avec elle. La biographie d'une personne aussi insaisissable prendra donc plutôt la forme d'une quête spirituelle que d'un alignement de données. Voilà bien à quoi tient l'excellence de la biographie écrite par Carol Shields. Ce n'est pas une accumulation de faits. C'est plutôt une méditation sur l'existence de Jane Austen en tant qu'écrivaine – et qui mieux qu'une romancière qu'on peut considérer comme sa réincarnation moderne pour le faire ? Carol Sields cultivait un intérêt comparable pour la perspective féminine et était tout aussi à l'aise que Jane Austen dans l'exploration des domaines domestique et intime, en en fouillant les profondeurs jusqu'à en faire surgir l'universel. La justesse intuitive de sa biographie compense totalement l'absence de données concrètes.

Le onzième livre que je vous ai envoyé était un roman de Jane Austen, une œuvre mineure, car elle était restée inachevée ; si vous vous en souvenez, c'était *Les Watson*. Si c'est le seul roman que vous ayez lu d'elle, ne craignez pas d'être laissé en plan par cette biographie. Le titre est *Jane Austen, une vie*, d'ailleurs, et non *Jane Austen, ses livres*. On y discute bien évidemment de ses œuvres, mais principalement pour l'éclairage qu'elles nous donnent sur leur auteure. Le lecteur n'a pas à avoir une connaissance approfondie des romans pour apprécier ce que Carol Shields en dit.

Devant le Jane Austen Centre

Je dois souligner que la lecture de ce livre procure un grand plaisir. Il est d'une intelligence très engageante, non seulement en nous faisant mieux connaître Jane Austen, mais encore en laissant le lecteur explorer l'alchimie de l'écriture. Jane Austen, affranchie de sa vie très restreinte, a composé des romans qui parlent encore aux lecteurs d'aujourd'hui, malgré le fait que leur vie, surtout celle des lectrices, ait immensément changé. Carol Shields, quant à elle, indomptée par le peu de matériel dont elle disposait, a composé une biographie qui s'adresse à tous, hommes ou femmes, lecteurs assidus d'Austen ou néophytes. J'espère que vous allez prendre plaisir à la lecture de ce livre, le cinquantième que je vous fais parvenir.

Je suis allé à Bath récemment, là où Jane Austen a vécu quelques années. Elle y a été malheureuse, mais c'est quand même une fort jolie ville. J'ai pris une photo que je joins à cette lettre.

Cordialement vôtre,
Yann Martel

Carol Shields (1935-2003), poète, romancière, universitaire et critique américano-canadienne. Son œuvre inclut dix romans et deux recueils de nouvelles. Pendant sa carrière littéraire, elle a été professeure aux universités d'Ottawa, de la Colombie-Britannique, du Manitoba et de Winnipeg, dont elle a aussi été chancelière. On se souvient surtout d'elle pour son roman très apprécié *The Stone Diaries* pour lequel on lui décerna le prix Pulitzer et le Prix du Gouverneur général. Pour sa biographie de Jane Austen, elle reçut le prix Charles-Taylor pour la non-fiction.

LIVRE 51

Jules César
de William Shakespeare

À Stephen Harper,
premier ministre du Canada,
S.O.S (Sauvons l'Œuvre de Shakespeare),
d'un écrivain canadien,
avec ses meilleurs vœux,
Yann Martel

Le 16 mars 2009

Cher Monsieur Harper,

C'était hier les ides de mars. Un bon moment pour *Jules César*, de William Shakespeare. Il n'y a rien de religieux chez Shakespeare, rien de sacré à son sujet, mais on peut se perdre et se retrouver soi-même dans son œuvre tout comme il est possible de le faire dans la Bible. Ce sont deux univers entiers, l'un laïque, l'autre religieux, et l'un et l'autre ont créé des générations de lecteurs et d'érudits qui peuvent en citer de nombreux passages tirés d'un livre ou d'une pièce. Quiconque se retrouverait sur une île déserte avec un exemplaire de la Bible ou les œuvres complètes de Shakespeare pourrait s'en tirer. Muni de ces deux œuvres, il s'en tirerait encore mieux.

On trouve tout chez Shakespeare (même des passages ennuyeux dans les pièces historiques). La langue anglaise et la nature de l'écriture dramatique étaient encore à la forge à l'époque de Shakespeare, soit entre 1564 et 1616, et son travail à chaud sur l'enclume continue de marquer jusqu'à nos jours la langue, le théâtre et notre vision du monde. Voici seulement deux petits exemples : au premier acte, vers la fin de la deuxième scène, Cassius demande à Casca si Cicéron a dit quoi que ce soit au sujet de l'évanouissement de César. Casca répond oui, Cicéron a fait un commentaire, mais en grec, et il ajoute, pince-sans-rire : « En tout cas, c'était du grec à mes oreilles. »

Plus tard, au troisième acte, à la première scène, César affirme que sa volonté est ferme et qu'on ne le fait pas facilement changer d'idée. Il est, dit-il, « aussi constant que l'étoile polaire ». Ce ne sont que deux des expressions dont Shakespeare a doté la langue dans laquelle il œuvrait. Il a apporté bien davantage, évidemment. Ses pièces, en plus d'être vivantes et dramatiques, débordent d'observations perspicaces sur la nature humaine. L'adjectif « shakespearien » a une signification étendue. Si cet homme-là était une source, nous vivons maintenant tous dans son delta.

Jules César est une pièce sur la politique, plus spécifiquement sur le pouvoir. Le pouvoir potentiel d'un individu, le pouvoir de la tradition, le pouvoir des principes, le pouvoir de persuasion, le pouvoir des masses – tous ces pouvoirs s'entrechoquent dans la pièce, avec des effets mortels. Shakespeare ne prend pas position. Sa pièce est une tragédie, mais ce n'est pas seulement la tragédie de César. C'est aussi celle de Brutus et de Cassius, de Portia et de Calpurnia, de Cinna le poète et de Rome elle-même.

Puisque *Jules César* traite de pouvoir et de politique, aussi bien parler ici de pouvoir et de politique. Permettez-moi de vous communiquer les préoccupations qui me taraudent au sujet de deux décisions que votre gouvernement a annoncées récemment.

La première concerne le Conseil de recherches en sciences humaines (CRSH). Les nouveaux fonds qui seront attribués au Conseil devront apparemment être consacrés exclusivement au secteur des diplômes reliés aux affaires. Ne croyez-vous pas qu'il y a une certaine contradiction entre les idéaux ultralibéraux, friands d'un rôle réduit de l'État mis de l'avant par votre parti, et le fait de dire à un organisme indépendant comment dépenser ses fonds ? Est-ce que vous n'augmentez pas ainsi la taille du gouvernement, est-ce que vous ne le rendez pas plus envahissant ? Mais cet aspect de la chose est marginal. Ce qui est bien plus préoccupant, c'est que cela dénature le rôle du CRSH. Je n'ai jamais compris pourquoi des universités publiques, financées par les citoyens, devaient forcément avoir des facultés ou des départements de commerce. Est-ce que faire de l'argent est vraiment un sujet académique ? N'allez pas croire que je pense qu'il y a une honte liée à l'argent ou au fait d'en acquérir, mais nous perdons de vue la raison d'être d'une université si nous pensons que c'est un lieu pour fabriquer en série des MBA. Une université est la dépositaire, le creuset de la société, l'endroit où la société s'étudie elle-même. C'est le cerveau d'une société. Ce n'est pas son porte-monnaie. Les entreprises commerciales vont et viennent. Shakespeare, lui, reste. Une université construit des esprits et des âmes. Une entreprise commerciale donne de l'emploi. Il ferait mieux vivre dans le monde si plutôt que d'avoir le monde des affaires qui infiltre les universités il y avait des types comme Shakespeare qui infiltraient le monde des affaires. J'imagine que ce genre de raisonnement n'attire guère votre attention. Peut-être ai-je mal compris. Pour paraphraser Antoine quand il parle de Brutus : tu es un homme honorable et tu dois savoir ce que tu fais.

Ma seconde préoccupation touche l'annonce faite par le ministre du Patrimoine, James Moore, à l'effet que le financement offert par le nouveau Fonds du Canada pour les périodiques pourrait limiter son appui aux magazines qui ont un tirage de plus de cinq mille exemplaires. Cela devrait en finir avec à peu près toutes les revues artistiques et littéraires du Canada. « Une bonne idée », pensez-vous. « Qui a besoin de ces feuilles de chou élitistes ? » Eh bien nous en avons tous besoin parce que les bonnes choses commencent petites. Je ne vais vous donner qu'un exemple, le mien. J'ai d'abord été publié par *The Malahat Review*, édité à Victoria, en Colombie-Britannique. Son appui initial, quand j'étais dans la vingtaine, m'a galvanisé. Cela m'a porté à vouloir écrire de plus en plus, et de mieux en mieux. C'est parce que j'ai été publié dans *The Malahat Review* que j'ai gagné mon premier prix littéraire, que j'ai rencontré mon agent littéraire, que des éditeurs de Toronto m'ont porté attention. *The Malahat Review*, c'est là que je suis né en tant qu'écrivain. Si *The Malahat Review* disparaît, c'est la prochaine génération d'écrivains et d'écrivaines et de poètes qui disparaît. Mais peut-être ai-je mal compris. Vous êtes un homme honorable et vous devez savoir ce que vous faites.

Transformer le CRSH en agence de financement des MBA et éliminer les magazines artistiques et littéraires, ce sont des décisions qui me sont incompréhensibles. Les sommes en question sont tellement insignifiantes, relativement, et pourtant leur importance est si grande. Est-ce que c'est vraiment votre intention de transformer le Canada en une société postlettrée. Déjà, il y a tant de jeunes qui sont posthistoriques et postreligieux. Si la lecture et la littérature sont les prochains piliers à disparaître, que restera-t-il de notre identité ? Mais peut-être ai-je mal compris. Vous êtes un homme honorable et vous devez savoir ce que vous faites.

Au troisième acte, à la troisième scène de *Jules César*, vous allez rencontrer Cinna le poète. Il est lynché par la foule qui le confond avec un autre Cinna, conspirateur celui-ci. Ce n'est pas la façon de faire au Canada. Ici, maintenant, au Canada, c'est le gouvernement qui attaque Cinna le poète. Mais peut-être ai-je mal compris. Vous êtes un homme honorable et vous devez savoir ce que vous faites.

Cordialement vôtre,
Yann Martel

Réponse :

Le 1er mai 2009

Monsieur Martel,

Au nom du Très Honorable Stephen Harper, j'ai le plaisir d'accuser réception de votre courrier au sujet du Conseil de recherches en sciences humaines et du Fonds du Canada pour les périodiques. Je veux aussi vous remercier d'avoir joint à votre envoi *Jules César* de William Shakespeare.

Soyez assuré que vos commentaires recevront la considération appropriée. J'ai pris la liberté d'acheminer copie de votre correspondance à l'Honorable Tony Clement, ministre de l'Industrie, et à l'Honorable James Moore, ministre du Patrimoine canadien et des Langues officielles, pour les mettre au courant de vos préoccupations.

Je vous remercie à nouveau d'avoir écrit au premier ministre.

Sincèrement vôtre,
S. Russell
Agent principal à la correspondance

William Shakespeare (1564-1616) a écrit des pièces et des poèmes.

Livre 52

Burning Ice
Fondation Cape Farewell

À Stephen Harper,
premier ministre du Canada,
un livre sur un sujet chaud
d'un écrivain canadien,
avec ses meilleurs vœux,
Yann Martel

Le 30 mars 2009

Cher Monsieur Harper,

Je n'avais jamais entendu parler de Cape Farewell, une organisation non gouvernementale britannique, jusqu'à ce qu'un courriel de sa part surgisse dans ma boîte. On m'invitait, grâce à un financement de la Fondation canadienne Musagetes, à une expédition qu'on allait organiser au Pérou. Pour me faire connaître l'organisme et ses objectifs, on offrait de m'expédier un livre et un DVD. J'étais curieux d'en savoir plus et j'ai accepté. Je n'avais rien à perdre. Quelques jours plus tard, la publication et le DVD me sont parvenus par courrier. J'ai lu le livre, regardé le DVD, j'ai parcouru le site Internet de la Fondation (www.capefarewell.com) et je me suis hâté d'accepter l'invitation.

Bien des gens ont d'abord été renseignés sur les changements climatiques par l'intermédiaire d'*Une vérité qui dérange,* le documentaire basé sur les tournées d'Al Gore. La mission de Cape Farewell est d'aller au delà de cette première prise de conscience et d'orchestrer une réponse de nature culturelle aux changements climatiques. À cette fin, la Fondation organise des périples jusqu'aux frontières des changements climatiques, les points chauds (au sens littéral du mot) où le bouleversement est le plus apparent. Chaque expédition compte également des scientifiques qui poursuivent leur recherche, et cela, afin que les artistes puissent observer non seulement le théâtre des changements, mais aussi quelques-uns de ses acteurs. Puis on invite les artistes à réagir et à devenir eux-mêmes des intervenants. Le DVD *Art from a Changing Arctic* rend compte des trois premières expéditions de Cape Farewell à l'archipel Svalbard, tandis que *Burning Ice* reprend certaines réactions des artistes.

C'est, comme vous le verrez, un livre très varié. On y voit des œuvres d'art plastique, autant photographiques et picturales que sculpturales ; il y a des essais, soit scientifiques, rappelant à grands traits les changements climatiques, soit personnels, décrivant les réactions des individus à ces changements. *Burning Ice* a été publié en 2006 et son message est déjà dépassé. Dans un essai, un scientifique affirme qu'en 2050 il n'y aura plus de glace d'été dans l'Arctique. Or les scientifiques prédisent maintenant que c'en sera fait d'ici à 2013. En trois ans à peine, les choses se sont déjà dégradées. On devient facilement pessimiste quand on observe les changements climatiques. « Face à une telle calamité globale, qu'est-ce que j'y peux, moi ? » La grande qualité de *Burning Ice*, c'est que le livre montre ce qu'on peut faire : on peut réagir. Il est bien évident qu'une toile, une photographie ou un enchaînement de mots ne vont pas sauver la planète. Mais ce sont des choses qui peuvent en venir aux prises avec ce problème. Les changements climatiques sont en eux-mêmes une force impersonnelle, profondément désarmante. La création artistique inspirée par les changements climatiques engage l'individu dans sa personne tout entière, conférant tant à l'artiste qu'au spectateur un pouvoir d'intervention.

En feuilletant *Burning Ice*, en regardant les illustrations, en lisant les essais, j'ai ressenti un étrange mélange d'émerveillement et de détresse. Ce qui est déjà un progrès par rapport à la simple détresse. Que l'art dont Cape Farewell stimule la création, qu'on le voie dans des livres ou dans des expositions, soit perçu comme une élégie, un adieu à notre planète, ou le commencement d'un réel retournement dans notre façon de vivre, on ne le saura que dans les années à venir. Mais une chose est sûre : la réponse que nous donnons aux changements climatiques ne peut pas être simplement politique. Les politiciens se traînent les pieds – et vous parmi eux – à cause du pouvoir du complexe industriel des hydrocarbures. Ce sont les citoyens qui doivent bouger en premier et l'art est une manière idéale de les amener à le faire. L'art traite du problème à un niveau où tout un chacun dans la rue, homme, femme, adolescent ou enfant, peut le faire sien et y réagir. Une fois que les citoyens se seront engagés dans le domaine vital des changements climatiques, les politiciens seront bien obligés de les suivre.

Pourquoi ne pas prendre un peu d'avance sur cette vague? J'espère que vous serez à la fois ému et alarmé par *Burning Ice.*

Cordialement vôtre,
Yann Martel

Réponse:

Le 24 juin 2009

Cher Monsieur Martel,

Au nom du Très Honorable Stephen Harper, je tiens à accuser réception de votre correspondance du 30 mars, par laquelle vous lui faisiez parvenir un exemplaire du livre *Burning Ice: Art & Climate Change.*

Je vous remercie d'offrir ce matériel au premier ministre. Votre courtoisie en portant cette information à son attention est grandement appréciée.

Sincèrement vôtre,
P. Monteith
Agent responsable de la correspondance.

David Buckland, artiste britannique spécialisé dans la photographie, le portrait et dans la scénographie et le dessin de costumes de théâtre. Plusieurs de ses œuvres ont été exposées dans de prestigieux musées et galeries de par le monde, dont le Centre Georges-Pompidou à Paris et le Metropolitan Museum of Art à New York. Il est aussi le fondateur du Cape Farewell Project, une communauté d'artistes, de scientifiques et de communicateurs engagés dans l'appel à la communauté culturelle pour qu'elle donne une réponse artistique aux changements climatiques.

Louis Riel
de Chester Brown

À Stephen Harper,
premier ministre du Canada,
un roman illustré sur un moment-clé
de l'histoire du Canada,
d'un écrivain canadien,
avec ses meilleurs vœux,
Yann Martel

Le marin rejeté par la mer
de Yukio Mishima

À Stephen Harper,
premier ministre du Canada,
un roman qui illustre quelque chose de bien différent,
d'un écrivain canadien,
avec ses meilleurs vœux,
Yann Martel

Le 13 avril 2009

Cher Monsieur Harper,

Quand j'ai commencé à vous envoyer des livres, j'ai dit que ce serait des œuvres « qui amèneraient la quiétude ». Un livre est un merveilleux outil – en fait, c'est un outil unique – pour accroître la profondeur de sa réflexion, pour aider à penser et à ressentir. Cela prend beaucoup de temps et un énorme effort pour écrire un bon livre, qu'il s'agisse d'un ouvrage de fiction ou d'un essai. Ce n'est pas seulement la recherche préliminaire ; ce sont aussi les semaines et les mois de réflexion. Quand on leur demandait combien de temps il leur avait fallu pour écrire un livre, j'ai entendu des auteurs répondre : « Toute ma vie. » Je sais très bien ce qu'ils voulaient dire par là. Tout leur être avait été occupé à la tâche de l'écriture de ce livre, et les quelques années employées pour le mettre par écrit n'avaient été que la pointe du proverbial iceberg. Ce n'est donc pas une surprise qu'un processus aussi long, un peu comme la maturation d'un bon vin, puisse aboutir à un produit digne d'une grande considération.

Mais la quiétude que les livres peuvent causer ne veut pas dire qu'ils soient tranquilles. Quiétude et tranquillité, ce n'est pas la même chose. Vous avez peut-être remarqué cela il y a quelques semaines, dans *Jules César*. Il n'y a guère de paix ni de tranquillité dans cette pièce, et pourtant elle mène quand même à la réflexion, n'est-ce pas ?

Cette quiétude née de l'agitation se poursuit avec les deux livres que je vous envoie cette semaine. Je suis certain que vous connaissez bien la tragique saga de Louis Riel. Les Anglais le détestaient, les Français l'aimaient. Je ne parle évidemment pas des Anglais et des Français d'Europe. Je veux dire les peuples de cette nation qui a pris forme au nord des États-Unis. Les Anglais, les Irlandais et les Écossais de l'Ontario avaient depuis peu commencé à s'appeler eux-mêmes Canadiens, tandis que les Métis francophones de l'Établissement de la rivière Rouge ne s'identifiaient pas ainsi. Un seul homme en vint à symboliser les tensions et les ressentiments d'une nouvelle nation. Ce fut un gâchis compliqué dont, encore aujourd'hui, nous continuons de subir les conséquences. Est-ce que le Parti québécois aurait été élu en 1976 si Louis Riel et les Métis de la rivière Rouge avaient été traités plus justement par Ottawa ? Ou bien est-ce que cela aurait mené les Ontariens à élire un « Ontario Party » qui aurait favorisé l'union avec les États-Unis ? Ce qui est clair – et votre expérience politique personnelle vous l'a sûrement démontré –, c'est qu'une fois que préjugé et mauvaise foi sont ancrés dans l'esprit d'un peuple, c'est très difficile d'amener ce peuple à s'entendre.

Louis Riel, de l'artiste illustrateur canadien Chester Brown, est un ouvrage sérieux qui raconte une histoire sérieuse d'une manière évocatrice et réfléchie. Les dessins sont séduisants et le texte est à la fois saisissant et subtil. Louis Riel en sort comme il l'était probablement : un homme étrange et charismatique, parfois pris d'une folie religieuse mais aussi authentiquement préoccupé par le sort de son peuple Métis.

Ces épithètes, « étrange et charismatique », pourraient aussi s'appliquer à l'écrivain japonais Yukio Mishima (1925-1970). Si Riel était fou de religion, alors Mishima était fou d'esthétique. Vous savez sans doute comment Mishima est mort. Il est aussi connu pour sa mort que pour ses œuvres. La vie d'un auteur ne devrait normalement pas être amalgamée à son œuvre, mais un auteur en santé qui, à l'âge de 45 ans, au sommet de sa gloire, se suicide en s'ouvrant le ventre et en se faisant décapiter – ce qu'on appelle communément *hara-kiri* – après avoir envahi une base militaire et exhorté l'armée de son pays à renverser le gouvernement, un tel auteur ne peut manquer d'attirer l'attention pour d'autres raisons que ses livres. Dans ce cas, la vie et les livres sont indissociables. La fin de Mishima était moins liée à la politique et au retour du Japon à une supposée gloire ancienne qu'à certaines notions personnelles qu'il entretenait sur la mort et la beauté. Il en était obsédé, de la mort et de la beauté. Les personnages de son roman *Le marin rejeté par la mer* – Fusako, la mère, Noboru, son fils et Ryuji, le marin – le démontrent. Ils sont rendus d'une manière exquise. On les perçoit non seulement dans leur réalité physique mais aussi dans leur vie intérieure. Chacun est empreint de beauté à sa façon. Et pourtant leur histoire est marquée par la violence et la mort. Je ne vous en dis pas plus.

Je vous avoue qu'au début de la vingtaine, quand j'ai lu *Le marin rejeté par la mer* pour la première fois, j'ai détesté l'œuvre parce que je l'aimais. Ce livre, ainsi que *Hunger* (*Faim*), de Knut Hamsum, sont les seuls chefs-d'œuvre que j'aie lus avec le souffle haletant de celui qui aurait peut-être pu les écrire lui-même. Ces deux histoires, je les avais en moi, pensais-je, mais un écrivain japonais et un écrivain norvégien y étaient parvenus avant moi.

Je dois vous expliquer la raison pour laquelle je vous envoie deux livres cette semaine. Je pars en vacances et je ne veux pas m'inquiéter du sort de livres confiés à la poste. Voici donc vos livres pour le mois d'avril, *Louis Riel* pour le 13 avril et *Le marin rejeté par la mer* pour le 27 avril.

Comme ces œuvres semblent curieuses et sans lien l'une avec l'autre. Je doute que Mishima ait jamais entendu parler de Louis Riel et il n'y a rien dans *Louis Riel* qui me fasse croire que Chester Brown soit un admirateur de Mishima. Mais c'est ce que j'ai toujours aimé au sujet des livres, comme ils peuvent être si différents les uns des autres et pourtant s'accommoder parfaitement sur une tablette. L'espérance de la littérature, l'espoir de la quiétude, c'est que la paix que les livres les plus divers peuvent partager côte à côte transformera leurs lecteurs, afin qu'eux aussi soient capables de vivre côte à côte avec des gens qui sont bien différents d'eux.

Cordialement vôtre,
Yann Martel

Réponse :

Le 29 avril 2009

Monsieur Martel,
Au nom du Très Honorable Stephen Harper, j'ai le plaisir d'accuser réception de votre courrier auquel vous aviez joint un exemplaire de deux œuvres, l'une *Le marin rejeté par la mer* de Yukio Mishima et l'autre *Louis Riel* de Chester Brown.
Le premier ministre m'a demandé de vous transmettre ses remerciements pour l'envoi de ces livres. Soyez assuré que votre geste délicat a été fort apprécié.

Sincèrement vôtre,
S. Russell
Agent principal à la correspondance

Chester Brown (né en 1960), bédéiste alternatif canadien et créateur de nombreux romans illustrés et de séries de bandes dessinées. Ses BD sont généralement sombres, classées dans la catégorie de l'horreur, du surréalisme et de la comédie noire, se concentrant sur des sujets tragiques comme la maladie mentale et le cannibalisme. Il a tardé cinq ans à créer son œuvre la mieux connue, *Louis Riel : A Comic-Strip Biography*. Parmi ses autres publications, on compte *The Playboy*, *I Never Liked You* et les séries *Yummy Fur* et *Underwater*. Il est né et a grandi à Montréal et vit maintenant à Toronto.

Yukio Mishima (1925-1970), de son vrai nom Kimitake Hiraoka, romancier, nouvelliste, poète, dramaturge et acteur kabuki traditionnel japonais. Ses meilleurs romans, *Les confessions d'un masque*, *Le temple du pavillon doré*, *Le marin rejeté par la mer* et la série *La mer de la Fertilité* ont assuré sa gloire définitive au Japon et à travers le monde. Il s'est suicidé après avoir envahi une base militaire avec sa propre armée privée, protestant ainsi contre l'éloignement du Japon de ses valeurs traditionnelles.

LIVRE 55

The Gift
de Lewis Hyde

À Stephen Harper,
premier ministre du Canada,
un présent à partager, comme tous les présents,
d'un écrivain canadien,
avec ses meilleurs vœux,
Yann Martel

Le 11 mai 2009

Cher Monsieur Harper,

L'une des forces de la non-fiction, c'est qu'elle permet de concentrer l'attention. Tandis que la fiction peut être aussi variée que les sciences humaines, la non-fiction, elle, a plutôt tendance à se spécialiser comme une science pure. Ceux et celles qui écrivent de la fiction entendent souvent leur éditeur leur dire : « Montre, ne raconte pas. » La raison en est que la fiction crée des univers peu familiers qui doivent devenir palpables, et non seulement être décrits. La non-fiction, par ailleurs, s'appuie sur un univers déjà en place, le nôtre, avec sa vraie histoire et ses véritables personnages historiques. Il faut bien sûr que cette histoire et ces personnages prennent vie sur la page ; une bonne écriture est toujours essentielle. Mais cet ancrage dans le monde réel libère cependant les écrivains et écrivaines de non-fiction de la lourde tâche d'inventer totalement des personnages ou des situations et leur donne les coudées franches pour raconter, tout simplement. Ils y gagnent la possibilité d'explorer en profondeur un seul sujet. Ils y perdent le pouvoir d'exercer un attrait plus diversifié. Dans la non-fiction, le lecteur doit porter un intérêt bien réel au sujet traité. Par exemple, un essai sur le Japon féodal attirera probablement moins de lecteurs qu'un roman sur le Japon féodal. C'est en tout cas ce qui s'est passé avec le roman de James Clavell, *Shogun*, et je ne pense pas que ce soit exceptionnel.

La conséquence de la spécialisation est que le monde de la non-fiction est plus morcelé. Un roman ressemble plus à un autre roman qu'un essai à un autre essai. La preuve en est dans les noms qu'on donne aux deux genres : nous savons ce qu'est la fiction et c'est le nom que nous lui donnons et il y a de la place sous ce vocable pour les œuvres théâtrales, les poèmes, les romans et les nouvelles du monde entier. Mais qu'en est-il des livres qui ne sont pas de fiction ? Eh bien, nous ne sommes pas sûrs de ce qu'ils sont, et nous les définissons donc par ce qu'ils ne sont pas : ils sont de la non-fiction. Cette absence de convention produit, dans le cas d'un excellent ouvrage de non-fiction, une dose élevée d'originalité.

Un exemple parfait d'originalité pour un ouvrage de non-fiction se trouve dans le livre que je vous envoie cette semaine. Dans *The Gift (Le présent)*, Lewis Hyde étudie la signification et les conséquences d'un présent, c'est-à-dire d'un objet ou service qui est offert gratuitement, librement, sans attente de rétribution concrète ou immédiate en retour. S'appuyant sur ce simple concept, Hyde mentionne tout un groupe de personnes, de lieux et d'habitudes et forme un tout cohérent de ce qui, dans un roman, serait un total fouillis. Vous verrez par vous-même. Les Puritains en Amérique, le folklore irlandais ou bengali, les insulaires de Trobriand au large de la Nouvelle-Guinée, les Maoris de la Nouvelle-Zélande, le potlatch des Premières Nations de la côte du Pacifique, les Alcooliques anonymes, des contes sur Bouddha, la Compagnie Ford, le sort de sommes inattendues d'argent dans un ghetto urbain de Chicago, Martin Luther, Jean Calvin, la vie de Walt Whitman et celle d'Ezra Pound, pour ne mentionner que quelques-uns des exemples dont je me souviens – tout cela est tissé en un tout à mesure que Hyde présente sa théorie sur les différences entre l'échange de présents et l'échange de produits. Les devises qui correspondent à ces commerces sont radicalement différentes. Dans le premier cas, ce sont des sentiments qui sont échangés ; dans le deuxième, c'est de l'argent. Le premier crée des liens ; le second, une distance. Le premier engendre un sens de communauté ; le second, un sens d'indépendance. Le premier amasse un capital qui est statique ; le second perd sa valeur s'il ne circule pas. Dans le livre, ces concepts sont étudiés à la lumière de nombreux exemples anthropologiques et sociologiques.

L'art est au cœur de *The Gift*. Hyde voit dans chaque aspect de l'art un don : la créativité est reçue comme un don par l'artiste, l'art est façonné comme un présent puis, d'une façon plutôt inconfortable dans notre système économique actuel, on fait le commerce de l'œuvre d'art comme si c'était un cadeau. Cela a une résonance tout à fait familière à mes oreilles. Je n'ai jamais pensé à ma créativité en termes monnayables. J'écris maintenant comme j'écrivais au début : gratuitement. Mais l'artiste doit vivre. Comment donc quantifier la valeur de l'art qu'on réalise ? Comment mettre en corrélation la valeur propre d'un poème et sa valeur monétaire ? Une fois de plus, le mot « inconfortable » me revient. Si Hyde privilégie l'esprit du don par rapport à l'échange commercial, ce n'est pas parce qu'il est un doctrinaire idéaliste. Ce n'est pas ce qu'il est. Mais ce qu'il pense est clair : nous avons oublié l'esprit du don dans notre société poussée par la consommation, et le prix que nous avons à payer pour cela est le dessèchement de nos âmes.

The Gift est un revigorant pour notre âme ainsi desséchée. Pour Lewis Hyde, l'esprit du don va bien plus loin que Noël et les anniversaires. C'est en fait une philosophie. Et il est difficile de ne pas y adhérer après la lecture de centaines de pages sur les présents qui sont fabriqués et donnés aux quatre coins de la planète. Nous avons peut-être un peu oublié à quel point on se sent bien quand on donne librement, à quel point il est nécessaire que ce qu'on reçoit soit passé à d'autres, pour que le présent survive, parcourant comme un poisson les flots humains, toujours vivant tant qu'il nage. C'est peut-être pour cela que les choses qui nous sont les plus précieuses sont celles que nous avons reçues. Il s'agit peut-être là de la manière la plus naturelle d'échanger. À tout le moins, après avoir lu ce livre, vous ne penserez plus de la même façon au mot « présent ».

Un point pour conclure, que je vous communique dans l'esprit de l'œuvre de Hyde. Jusqu'ici, je vous ai envoyé plus de cinquante-cinq livres de tous genres, et il y en aura d'autres, aussi longtemps que vous serez premier ministre. Je suppose que tous ces livres reposent sur une tablette quelque part dans vos bureaux. Mais ils ne vont pas y rester toujours. Un bon jour, vous allez quitter vos fonctions et emporter avec vous l'énorme mine de papiers habituellement rassemblée par un premier ministre. Cette mine sera emballée dans des centaines de boîtes de carton qui se retrouveront aux Archives nationales du Canada où, à un moment donné, elles seront ouvertes et leur contenu sera analysé par des chercheurs. Je serais triste que ce soit le sort réservé aux livres que je vous ai offerts. Les romans et les poèmes et les œuvres de théâtre ne sont pas faits pour vivre dans des boîtes de carton. Comme tous les présents, il faut qu'ils changent de mains. Pourrais-je donc vous suggérer de partager ce que j'ai partagé avec vous. L'un à la fois, ou bien tous ensemble, comme vous voulez, donnez ces livres, mais à deux conditions, cependant : premièrement, qu'ils ne soient pas conservés de façon permanente par chaque récipiendaire, mais plutôt offerts à quelqu'un d'autre dans un moment opportun, après avoir été lus. Et deuxièmement, qu'ils ne soient jamais vendus. Cela garderait en vie l'esprit de don de notre club du livre.

Cordialement vôtre,
Yann Martel

P.-S. Soyez gentil de remercier pour moi S. Russel pour l'accusé de réception qu'il, ou elle, m'a envoyé à la suite de mon dernier envoi de livres, le Mishima et le Chester Brown. [Voir la section réponse des livres 53 et 54.]

Réponse :

Le 22 mai 2009

Monsieur Martel,

Au nom du Très Honorable Stephen Harper, j'ai le plaisir d'accuser réception de votre récent courrier.

Je vous remercie de partager vos opinions par écrit avec le premier ministre. Je puis vous assurer que vos commentaires ont été soigneusement notés. Pour obtenir davantage d'information sur les initiatives du gouvernement, vous voudrez consulter le site Web du premier ministre, www.pm.gc.ca.

Sincèrement vôtre,
L.A. Lavell

Lewis Hyde (né en 1945), poète, traducteur, essayiste et commentateur culturel américain. Il a commenté l'œuvre de Henry David Thoreau et d'Allen Ginsberg et traduit des poèmes de l'espagnol Vicente Aleixandre, prix Nobel de littérature. Il a aussi écrit un ouvrage de critique culturelle, *Trickster Makes This World*, et un recueil de poèmes, *This Error is the Sign of Love*. Ancien professeur à Harvard, il enseigne maintenant la création littéraire au Kenyon College.

LIVRE 56

L'étrange cas du Dr Jekyll et de Mr Hyde
de Robert Louis Stevenson

À Stephen Harper,
premier ministre du Canada,
bonne chance avec votre Mr Hyde,
d'un écrivain canadien,
avec ses meilleurs vœux,
Yann Martel

Le 25 mai 2009

Cher Monsieur Harper,

Il arrive qu'une histoire saisisse en une image ce qui jusqu'alors était resté imprécis. Vous avez sûrement vécu cette expérience vous-même, quand un livre, un article ou un film exprime précisément ce qui vous était venu à l'esprit, mais en plus flou. Le roman *L'étrange cas du Dr Jekyll et de Mr Hyde* de Robert Louis Stevenson est l'exemple parfait d'une histoire qui génère cette sorte de clarté. Publié en 1886, le livre connut un succès immédiat, lu d'emblée par qui savait lire (dont la reine Victoria et le premier ministre Gladstone), et est demeuré depuis lors un classique. On connaît depuis la nuit des temps la distinction morale entre le bien et le mal, et chacun de nous l'a apprise formellement grâce à l'éducation reçue de nos parents et de nos maîtres ; en sus, notre expérience personnelle nous l'a intimement inculquée. Mais mon impression est que la plupart d'entre nous vivons avec le bien et le mal comme si nous prétendions avoir confié au premier la direction de notre vie, tandis que nous en aurions expulsé définitivement, et depuis long-temps, le second. En d'autres mots, nous pensons que nous sommes bons, sans être parfaits, mais plutôt bons, sûrement meilleurs que nos voisins, et nous mettons à contribution les rationalisations nécessaires pour conserver cette perception de nous-mêmes, tandis que nous considérons le mal comme nous étant essentiellement externe. Les autres sont méchants : les criminels, les mauvais flics, les politiciens corrompus, les jeunes fainéants, et ainsi de suite. Nous voyons bien du mal dans le monde, mais pas en nous.

L'éclat du récit de Stevenson vient de la manière qu'il a de représenter les forces du bien et celles du mal : il les incarne dans deux personnages entiers, un bon, un méchant, réunis dans le corps d'un seul homme fourbe. Car je suis sûr que vous savez, même si vous n'avez pas lu ce court roman auparavant, que le Dr Jekyll et Mr Hyde ne sont pas deux personnes mais une seule. Chacun est l'incarnation des extrêmes moraux en conflit à l'intérieur de la même personne, différent non seulement par son caractère mais aussi par son apparence. Grand et élégant, le Dr Jekyll, dont la réputation est impeccable, est l'incarnation bonne de cette personne torturée, tandis que l'incarnation méchante revient à Mr Hyde, rabougri, sans cœur, à la réputation détestable. Mais il y a un dialogue entre eux. C'est là le génie de l'histoire. Vivant de la même âme, ils sont tous les deux conscients de l'existence de l'autre et sont en perpétuel conflit. Et nous savons qui est destiné à gagner. Si le Dr Jekyll gagnait, si le bon continuait de faire le bien, il y aurait là les éléments pour écrire un sermon inspirant, mais non pour une fascinante intrigue. Nous avons besoin de Mr Hyde pour faire avancer l'intrigue – pour un moment seulement, il n'y a pas lieu de s'inquiéter –, mais aussi pour ressentir le frisson, la spécialité de choix des romans noirs.

Le roman compte dix chapitres. Les huit premiers sont réussis mais conventionnels. D'étranges et terribles événements ont lieu, la façon de les raconter est partiale et déconcertante, le suspense nous entraîne à poursuivre la lecture – voilà tous les attributs d'un bon roman d'horreur. Et puis au chapitre neuf, nous apprenons d'un personnage secondaire, un docteur ami du Dr Jekyll, que le méchant Mr Hyde, une brute et un meurtrier, n'est nul autre que le Dr Jekyll métamorphosé. Cette nouvelle aurait stupéfié tout lecteur qui n'aurait rien su de l'histoire avant de la lire. Mais la raison pour laquelle *L'étrange cas du Dr Jekyll et de Mr Hyde* s'élève bien au-dessus des histoires d'horreur habituelles, on la trouve au chapitre dix, le dernier et le plus long, narré par une voix tourmentée, celle du Dr Jekyll lui-même. C'est dans ce chapitre que repose la grandeur du roman. On se lasserait d'entendre parler du bien et du mal comme d'habitude, avec un sourire de contentement de soi et un doigt accusateur. Rien de tout cela ici. Dans le chapitre « Déclaration complète du Dr Jekyll sur l'ensemble du cas », on voit un homme qui reconnaît ouvertement sa méchanceté et qui discute de ce qu'il a cherché à en faire. Son intention est de donner corps à son côté mauvais pour que le bon côté soit plus purement bon, à l'épreuve de l'appel séduisant du mal. Mr Hyde est alors créé pour que le Dr Jekyll soit meilleur. Oh, mais quelle tentation que celle du mal ! Le Dr Jekyll observe horrifié les actes épouvantables que commet son alter ego. Progressivement, la fascination le consume. Alors qu'au début il redevient magiquement et facilement le Dr Jekyll, avec le temps, l'efficacité de la potion qui permet ce passage s'épuise. Celui qui domine, le Dr Jekyll, commence à perdre du terrain en faveur de Mr Hyde, jusqu'à ce que la nature propre du personnage soit celle de Mr Hyde. Le fait de raconter cette lutte *depuis l'intérieur,* avec la voix même du double combattant torturé, offre une lecture saisissante, une lecture qui grossit à un degré monstrueux les conflits que nous traversons, chacun d'entre nous, si nous sommes moralement lucides. Voilà la raison de l'attrait permanent de cette histoire. Nous sommes tous des Dr Jekyll et la question morale qui nous est posée, à chacun d'entre nous, est toujours la même : que vas-tu faire du Mr Hyde qui rôde en toi ?

Ma lecture de l'histoire originale m'amène à penser que le mal qui tourmente Jekyll est très clairement d'ordre sexuel, la répression victorienne d'une pulsion homosexuelle. Voyez vous-même si les indices pointent vers cette même conclusion. Mais l'histoire, comme pour tout grand roman, peut être lue d'une manière qui reflète la personnalité de chaque lecteur. Vous, en tant que politicien, par exemple, vous devez ressentir des tensions intérieures entre le bien commun que vous souhaitez mettre en place et le mal que vous devez accomplir pour y arriver. D'observer ces options opposées revêtues des apparences vivantes et contrastées du Dr Jekyll et de Mr Hyde devrait vous aider dans votre lutte pour incarner un premier ministre Jekyll.

Une dernière observation : on a rarement vu une histoire aussi bien servie par son titre. Dr Jekyll et Mr Hyde – en anglais, les mots s'enchaînent si harmonieusement, le contrepoint entre « Doctor » et « Mister » plaisant à l'oreille et les deux noms tout à fait inhabituels mais si faciles à retenir. Étrangement, on n'explique jamais au lecteur comment le nom de Mr Hyde lui est venu. Le Dr Jekyll avale sa potion dans son laboratoire, devient quelqu'un d'autre, se plante devant un miroir et « Je vis pour la première fois l'apparence d'Edward Hyde ». De toute évidence, Stevenson savait que le jeu des noms marchait. On tient la médecine pour une profession qui fait le bien, et pourtant la seconde syllabe du nom du brave docteur rime avec « *kill* » – « tuer ». Quant à Mr Hyde, il est ce que Jekyll veut cacher – « *hide* », en anglais. Tout cela fonctionne tellement bien que quiconque a lu l'histoire s'en souvient parfaitement en se remémorant le titre.

Sincèrement vôtre,
Yann Martel

P.-S. J'ai reçu une autre réponse de S. Russell, votre agent principal à la correspondance, cette fois-ci pour accuser réception du don de Jules César *de Shakespeare. C'est la deuxième lettre en peu de temps, après un silence de deux ans. Je peux comprendre pour* Jules César. *Dans la lettre qui accompagnait la pièce, j'ai parlé de mes préoccupations au sujet des nouvelles directives mises en place pour le Conseil de recherches en sciences humaines et le Fonds du Canada pour les périodiques. Ce sont des questions politiques, cela même dont les responsables de la correspondance du premier ministre s'occupent. Mais une réponse à mon cadeau du* Marin *rejeté par la mer de Yukio Mishima et* Louis Riel *de Chester Brown a été une surprise. Quoique je suppose que tout ce qui concerne Riel est politique, encore maintenant, et mérite que vous y répondiez, même indirectement. Recevrai-je un jour une réponse venant directement de vous ? Une chose est sûre, c'est que vous avez l'embarras du choix quant à un livre sur lequel m'écrire.*

Robert Louis Stevenson (1850-1894) romancier, grand voyageur écossais, né à Édimbourg, il a connu la gloire pour son roman *L'Île au trésor* ainsi que pour sa nouvelle *L'étrange cas du Dr Jekyll et de Mr Hyde*. Fréquemment malade étant enfant et, pour le reste de ses jours, de santé fragile, il a alterné les cures de repos avec les grands voyages, parcourant l'Europe, puis l'Amérique et enfin le Pacifique où il mourut, à Samoa, à 44 ans. Lucide théoricien de la narration, il a constitué une remarquable œuvre de fiction anti-réaliste.

Livre 57

Hiroshima mon amour
un scénario de Marguerite Duras
et un film d'Alain Resnais

À Stephen Harper,
premier ministre du Canada,
d'un écrivain canadien,
avec ses meilleurs vœux,
Yann Martel

Le 8 juin 2009

Cher Monsieur Harper,

Pour la première fois, je vous envoie un scénario original accompagné, bien sûr, du film qui en a été tiré. *Hiroshima mon amour* a été écrit par Marguerite Duras (1914-1996), qu'on associe souvent au mouvement littéraire du nouveau roman en France, et dirigé par Alain Resnais (né en 1922), qu'on lie souvent au mouvement cinématographique de la *nouvelle vague. Nouveau roman, nouvelle vague* – deux fois l'adjectif « nouveau ». En effet, Duras, Resnais et leurs camarades, dans les années cinquante et soixante, exploraient la nouveauté dans leurs tentatives respectives de rompre les conventions du passé afin de mieux répondre aux besoins du présent. Même s'il date d'un demi-siècle – le film est de 1959 –, l'attrait de la nouveauté de *Hiroshima mon amour* subsiste toujours.

Vous allez le constater tout de suite. Le film semble posséder toutes les caractéristiques du classique guindé. Il est tourné en noir et blanc, on dirait maintenant du style vestimentaire des personnages qu'il est d'époque, les voitures qu'on y voit sont des antiquités, et tout le reste est à l'avenant. Mais dès le début le film déjoue les attentes. Le propos, par exemple. Il y a de nos jours tant d'œuvres cinématographiques qui ne sont que distraction, c'est-à-dire qu'elles divertissent sans stimuler, émoustillant le spectateur sans pour autant le secouer. Rien de tout cela dans *Hiroshima mon amour*. Déjà, le titre est bien clair à ce sujet. Hiroshima restera toujours le mieux connu pour une chose : avoir été la malheureuse cible dévastée par la première bombe atomique. Et ce premier mot du titre est suivi de *mon amour*. Mon amour ? L'horrible-mort-instantanée-de-70 000-hommes-femmes-et-enfants-puis-d'au-moins-100 000-autres-suite-aux-maladies-causées-par-les-radiations *mon amour* ? Il faut en être averti, ce n'est pas le genre de film qui s'accompagne de maïs soufflé.

Et le mode narratif est un autre défi. Malgré l'absence d'effets spéciaux, l'œuvre est loin d'être un exemple de cinéma réaliste. En apparence, c'est l'histoire d'une actrice française qui tourne un film sur la paix à Hiroshima et qui rencontre un architecte japonais avec qui elle a une brève aventure. Mais cela, c'est comme de dire que *Mort à Venise* est l'histoire d'un vieil homo qui va à Venise et qui meurt. Les détails de l'intrigue de *Hiroshima* – tout comme ceux de *Mort à Venise* – sont secondaires. Ce qui façonne véritablement le film, ce sont les forces de la douleur, du désir, de la mémoire et du temps. Le scénario de Duras et le film de Resnais sont comme un opéra : tout y est émotion. L'intrigue est donc peu importante, les personnages sont simplement Lui et Elle, la suite des événements est imprévisible. *Hiroshima* est un film *réactif*, de la même façon que les émotions sont réactives. L'œuvre a donc les qualités des émotions fortes : délibérée, entêtée, incommode, étrangement attirante. À côté d'elle, les superficialités habituelles du cinéma d'aujourd'hui, plein de conventions et de clichés, ont une allure réactionnaire.

Hiroshima mon amour est sobre et radical. Il offre une belle expérience cinématographique intelligente et émouvante. J'espère que vous en relèverez le défi.

Cordialement vôtre,
Yann Martel

P.-S. Et une nouvelle réponse de plus. Même si cette dernière ne mentionne pas le livre dont elle est censée accuser réception. En me fiant à la date, le 22 mai, ce doit être un remerciement pour mon don de The Gift, *de Lewis Hyde [voir la section réponse du livre 55]. J'ai l'impression que L. A. Lavell, un autre de vos responsables de la correspondance, n'a pas passé un bien long moment en compagnie du livre. M'écrirez-vous jamais ?*

Marguerite Duras (1914-1996), femme de lettres française, de son vrai nom Marguerite Germaine Marie Donnadieu, née en Indochine, morte à Paris. Elle renouvela le genre romanesque et bouscula les conventions théâtrales et cinématographiques comme dialoguiste, scénariste et réalisatrice. Marquée par l'univers colonial asiatique et par un fort engagement politique en France, elle témoigna avec franchise de sa propre vie et obtint, en 1984, le prix Goncourt pour *L'amant*. Elle a mené tout au long d'une vie intense un combat contre l'alcool.

Runaway
d'Alice Munro

À Stephen Harper,
premier ministre du Canada,
en hommage à une grande écrivaine canadienne
d'un écrivain canadien,
avec ses meilleurs vœux,
Yann Martel

The Door
de Margaret Atwood

À Stephen Harper,
premier ministre du Canada,
une autre grande écrivaine canadienne
d'un écrivain canadien,
avec ses meilleurs vœux,
Yann Martel

Camino
musique d'Oliver Schroer

À Stephen Harper,
premier ministre du Canada,
une belle et envoûtante musique
avec mes meilleurs vœux,
Yann Martel

Le 22 juin 2009

Cher Monsieur Harper,
Avez-vous appelé Alice Munro ? Je me souviens que quand j'ai gagné le prix Booker, j'ai reçu un appel du premier ministre

Chrétien. Je vivais à Berlin à l'époque et il était à Ottawa, alors il a fallu organiser l'appel. L'un de ses adjoints m'a appelé ; il a noté mon numéro de téléphone et nous avons convenu d'un moment précis le lendemain. À l'heure dite, le téléphone a sonné dans mon bureau, j'ai répondu et c'était Jean Chrétien. Même si je savais que ça allait être lui, j'ai quand même ressenti un petit choc. J'avais le premier ministre du Canada en ligne ! Et il voulait me parler, à moi ! Nous avons bavardé quelques minutes. Il m'a félicité de ma victoire. Je lui ai répondu que j'étais heureux d'avoir gagné un troisième prix Booker pour le Canada. Il m'a dit qu'il avait trouvé que c'était beaucoup de boulot d'écrire un livre. Il parlait de ses mémoires, *Dans la fosse aux lions*. En effet, c'est beaucoup de boulot d'écrire un livre, ai-je dit, mais l'effort en vaut la peine. Il était d'accord. Et nous avons continué sur ce ton pendant quelques minutes, deux étrangers qui se parlent amicalement. Puis il a dit qu'il fallait qu'il parte ; je me suis empressé de le remercier de son appel, disant que j'en avais été honoré, et je lui ai souhaité une bonne journée. Il m'a remercié et m'a fait le même vœu. J'ai été touché par le fait qu'un homme aussi occupé et important ait trouvé un moment pour converser avec moi. Après tout, qu'avait-il à y gagner ? C'était un appel privé à un Canadien. Au plus, il allait obtenir un vote additionnel. Mais là n'en était pas la raison. Il était le premier ministre du Canada, le premier ministre de tous les Canadiens et Canadiennes, et de toute évidence il pensait que c'était son devoir de parler à un écrivain canadien qui venait de recevoir un grand honneur, même s'il n'avait pas lu le livre pour lequel on honorait l'auteur.

Et maintenant, on a honoré Alice Munro du prix Booker International, qu'on accorde tous les deux ans à un écrivain ou une écrivaine pour une œuvre de fiction exceptionnelle. Après l'auteur albanais Ismael Kadaré en 2005, après l'auteur nigérian Chinua Achebe en 2007, notre Alice Munro à nous a gagné le prix Booker International 2009. Drôlement propre à des éloges, non ?

En hommage à Alice Munro, je vous envoie cette semaine son recueil de nouvelles de 2004, *Runaway*, à la fois sous forme de livre et sous forme de livre-audio lu par l'actrice Kymberly Dakin. Il n'y a pas de raison spéciale pour laquelle j'ai choisi de vous envoyer le livre-audio. J'ai simplement vu qu'il était disponible et puis comme on est en été et compte tenu de tous les déplacements qu'on fait habituellement en été, j'ai pensé que ça pourrait être plaisant pour vous de glisser les CD, il y en a 9 en tout, dans le lecteur de CD de votre voiture et vous engager dans les histoires si intimes d'Alice Munro. Dans la deuxième nouvelle du recueil, « Chance », il y a une curieuse coïncidence qui va vous frapper. Le personnage, Juliet, mentionne qu'elle est allée avec une collègue enseignante voir un « classique en reprise ». Et quel est ce film ? *Hiroshima mon amour*, ce film-là même que je vous ai envoyé l'autre semaine. Quel cas fortuit, non ? (Est-ce que le film vous a plu ?) Alice Munro est très connue et immensément admirée ; je suis donc un peu embarrassé de parler de son œuvre ; mais s'il se trouve que vous n'êtes pas familier avec elle, je tiens à dire ceci. Une bonne partie de la fiction – y inclus la mienne – s'appuie sur l'extraordinaire, sur des personnages que le lecteur n'a guère de chances de rencontrer, et des événements qu'il ne partagera probablement pas. Les histoires de ce type sont comme des voyages à l'étranger ; nous sommes stimulés par ce qu'on y trouve de différent et d'exotique. Ce n'est pas l'approche qu'a utilisée Alice Munro. Toutes ses histoires sont au sujet de personnes qui pourraient être nos voisins et ce qui leur arrive pourrait nous être familier. Est-ce que cela rend ces histoires ennuyeuses, sans intérêt, banales ? Sous une autre plume, ce serait fort possible. Mais sous celle d'Alice Munro, ce n'est pas le cas. À force de détails révélateurs et de franchise psychologique, la vie de ses personnages devient aussi intéressante à nos yeux que notre propre vie nous est intéressante. Ce n'est pas qu'elle rend extraordinaire ce qui est ordinaire. Ce n'est pas le cas. Ce qu'elle accomplit, c'est de rendre à l'ordinaire sa pulsion et sa vibration vitales. Ses histoires sont moins au sujet des grands bouleversements qui peuvent déchirer une vie et plus au sujet des hauts et des bas qui la définissent. En un mot, ses histoires traitent de la texture de la vie. Ce que j'aime au sujet d'Alice Munro, c'est qu'elle me fait plus aimer mes voisins parce qu'après avoir lu un recueil de ses nouvelles tous mes voisins ont l'air de pouvoir devenir ses personnages, et c'est une qualité attachante chez les gens, qu'ils semblent aussi riches que la fiction.

Runaway, à la fois le livre et le livre-audio, représentent le livre 58. Je pars très prochainement pour cette expédition dont je vous parlais dans la lettre qui a accompagné le livre 52, *Burning Ice* : je vais faire du *trekking* dans les montagnes et les forêts du Pérou pendant trois semaines pour observer les effets des changements climatiques sur l'environnement tropical. Je ne suis pas trop sûr de pouvoir vous poster un livre depuis l'Amazonie, et j'ai donc décidé d'inclure le livre 59 dans l'envoi de cette semaine, une affaire de deux-pour-un que j'ai pratiquée une fois déjà. Et quel livre pourrait le plus naturellement accompagner un livre d'Alice Munro qu'une œuvre de Margaret Atwood ? On met si souvent les deux noms côte à côte, on pourrait croire qu'il s'agit de jumelles siamoises. Elles sont assurément les deux écrivaines canadiennes les plus connues sur la scène mondiale, avec Michael Ondaatje. Et puisqu'on parle de prix, Atwood a gagné le second Booker pour le Canada (tandis que pour Ondaatje, c'était le premier).

J'ai choisi pour vous le dernier recueil de poésie d'Atwood, *The Door*. Il y a un moment que je ne vous ai pas envoyé de poésie et Atwood est une auteure versatile, aussi douée pour la poésie que pour la fiction. Ce qu'il y a de formidable au sujet d'un recueil de poèmes, c'est les espaces qu'il peut parcourir en aussi peu de pages. Une maison de poupée retrouvée, la mort d'un chat qu'on a beaucoup aimé, des parents qui vieillissent, la vie à l'époque de l'empereur Caligula, la guerre, des photos anciennes, et bien d'autres sujets – chaque poème est son propre univers et le recueil, dans son ensemble, est une galaxie. Les poèmes de *The Door* sont écrits sur le ton de la conversation et pourtant ils sont très vifs, et sur le plan émotif, ils vont du monde des sentiments à celui de la politique. Je vous recommande tout particulièrement les poèmes « Owl and Pussycat, some years later », qui est au sujet de la vie d'écrivain, et le merveilleux poème-titre, « The Door », qui traite, eh bien, qui traite de la vie, de toute la vie, de la vie qu'on vit et de son sens, tout cela vu grâce à la métaphore d'une porte battante et tout cela en deux pages. Et puis je vous suggère ici, comme pour toute poésie, de lire chaque poème d'abord en silence, pour en saisir la signification, puis de le lire à voix haute, pour en ressentir le plein effet.

Le fait de vous envoyer des œuvres de deux écrivains du même pays m'amène à me demander s'il existe une telle chose que la littérature nationale. Est-ce qu'il y a quelque chose d'essentiellement canadien chez Alice Munro et Margaret Atwood, d'essentiellement russe chez Tolstoï et Dostoïevski, d'essentiellement anglais chez Austen et Dickens, et ainsi de suite. Bien évidemment, le cadre et la langue d'une œuvre révèlent quelque chose. Une histoire qui se passe en Allemagne écrite en allemand est probablement l'œuvre d'un auteur allemand – mais est-ce que cela en fait une histoire allemande ? Si un écrivain canadien met son histoire en scène, disons, en Inde, comme Rohinton Mistry l'a fait pour *L'équilibre du monde*, est-ce que cela fait que son roman en est d'autant moins canadien, que, disons, un roman qui se passe en Ontario rural ? Vous avez laissé entendre que la canadianité de Michael Ignatieff était jusqu'à un certain point suspecte parce qu'il avait passé tant d'années à l'étranger. Est-ce que cette perte d'identité nationale s'applique aussi aux œuvres de fiction ? Je pense que non, ni pour les gens ni pour les histoires. J'ai moi aussi vécu bien des années à l'étranger et je ne me suis jamais senti moins Canadien pour autant. Et je pense qu'on peut dire la même chose pour une œuvre de fiction canadienne. Prenons l'exemple de Josef Škvorecký. Il écrit en tchèque, principalement au sujet de questions tchèques, mais il vit au Canada depuis plus de quarante ans. Est-ce que nous refuserions sa canadianité à Škvorecký ? Et si oui, à partir de quels critères ? Si c'est une affaire de langue, quel droit avons-nous sur la langue française et la langue anglaise ? Nous les partageons avec de nombreux autres pays. Cette question de littérature nationale est un fascinant bourbier. Si une telle littérature existe, il s'agit forcément d'un corpus extrêmement instable et mouvant, très perméable. Et cela amène une autre question : est-ce que le pays détermine la nature du labeur d'un écrivain ou est-ce que le labeur de l'écrivain détermine la nature du pays ? Je pense qu'on peut défendre les deux options. Dans certains cas, un écrivain – prenons Kafka comme exemple – semble vraiment émaner d'un pays et d'une culture. Mais d'autres

– Margaret Atwood et Alice Munro, par exemple – semblent plus universels, comme si, dans des circonstances différentes mais avec des personnalités semblables, elles auraient pu venir d'Angleterre ou de France ou des États-Unis. Qu'est-ce qu'on en sait? Bon, je me demande combien de fois je me suis contredit en un seul paragraphe. Qu'importe. Je me suis posé la question sur la littérature nationale sans disposer d'aucune réponse toute faite.

Et finalement, cette semaine, je vous envoie un CD de musique par un violoniste canadien qui s'appelle Oliver Schroer. Le disque s'intitule *Camino*, d'après le Camino de Santiago de Compostela, auquel une ville du nord-ouest de l'Espagne donne son nom, une ville qui a été un lieu de pèlerinage depuis le Moyen Âge. Pendant des siècles, les gens ont marché depuis partout en Europe jusqu'à Santiago. C'est ce que j'ai fait en 2001, tout de suite après avoir terminé mon dernier roman. J'ai marché mille six cents kilomètres en cinq semaines. Ce fut une expérience lumineuse. Schroer a lui aussi exploré le chemin de Santiago et ce CD est le résultat de cette exploration. Je vous l'offre tout simplement parce que la musique en est envoûtante de beauté. C'est triste que Schroer soit mort de leucémie, juste l'été dernier. Cela rend sa musique encore plus poignante.

C'est tout un paquet que je vous envoie. J'espère que vous y prendrez plaisir.

Cordialement vôtre,
Yann Martel

Alice Munro (née en 1931), nouvelliste et romancière canadienne, elle jouit d'une vaste réputation et a été deux fois récipiendaire du prix Giller et trois fois du Prix du Gouverneur général. Souvent vue comme le Tchekhov du Canada, elle possède un talent remarquable pour la finesse du détail et la transparence du style. Elle pose sur la vie ordinaire un regard d'une grande acuité et observe avec ironie, souvent avec compassion, les changements et obstacles qu'imposent l'amour ou le fait de vieillir. Elle vit à Clinton, en Ontario.

Margaret Atwood (née en 1939), romancière, poète, critique littéraire et sociale, elle est très engagée dans les questions politiques, économiques et environnementales. L'une des écrivaines canadiennes les plus connues et traduites à travers le monde. Son œuvre d'une grande diversité, quant aux genres et quant aux thèmes, se renouvelle continuellement. Son roman *La servante écarlate* a été adapté au cinéma par Wolker Schlöndorff. Elle a reçu le prix Booker en 2000 pour *Le tueur aveugle*, le prix Giller en 1996 et deux fois le Prix du Gouverneur général, ainsi que de nombreux autres honneurs au Canada et à l'étranger. Elle vit à Toronto.

LIVRE 60

Bonheur d'occasion
de Gabrielle Roy
et sa traduction en anglais
The Tin Flute

À Stephen Harper,
premier ministre du Canada,
d'un écrivain canadien,
avec ses meilleurs vœux,
Yann Martel

Le 20 juillet 2009

Cher Monsieur Harper,

Cette semaine, je vous envoie le roman *Bonheur d'occasion*, de Gabrielle Roy, publié en 1945, accompagné de sa traduction en anglais intitulée *The Tin Flute*. Je suppose que vous allez souhaiter le lire surtout en anglais, mais ce roman est tellement ancré dans sa langue que ce serait regrettable que vous ne vous plongiez pas de temps à autre dans sa version originale. Si vous décidez de le faire, je vous suggère de voir les sections où il y a des dialogues en français. Gabrielle Roy, tout comme Zora Neale Hurston dans *Leurs yeux observaient Dieu*, que je vous ai fait parvenir il y a quelque temps, utilise deux niveaux de langage. Quand l'auteure parle en tant que narrateur omniscient, le français est formel, grammaticalement et syntaxiquement correct, classique et universel. Mais quand ce sont ses personnages qui parlent, c'est un langage, un lieu et une époque très spécifiques qui sont évoqués, le français vernaculaire de Saint-Henri, un quartier pauvre de Montréal, en 1940. C'est un français qui n'existe nulle part ailleurs et ce serait regrettable que vous n'en tiriez aucun plaisir.

En français, le titre signifie littéralement un bonheur usagé ou de seconde main. Le titre en anglais évoque la même chose, mais en utilisant un petit détail du roman : Daniel, l'un des enfants des

Lacasse, est maladif et il réclame toujours une petite flûte en fer-blanc. Il serait si heureux d'en avoir une et de s'amuser à souffler dedans. Mais il n'en aura jamais une parce que les Lacasse sont bien trop pauvres. Qu'importe le titre et dans quelque langue que vous lisiez le roman, le message est le même, la scène qu'il décrit est identique : des vies gâchées, un bonheur refusé, une misère implacable. Le Québec a radicalement changé depuis 1945. Une génération plus jeune de Québécois francophones refuserait probablement de croire qu'une province telle que décrit Gabrielle Roy ait jamais existé. Le Québec de *Bonheur d'occasion* est profondément divisé entre les Anglais et les Français, un clivage que Hugh MacLennan a bien saisi dans le titre de son roman publié la même année que celui de Gabrielle Roy, *Deux solitudes*. Les Anglais formaient l'élite, habituellement riche et puissante, vivant dans des quartiers qui leur étaient propres comme Westmount, tandis que les Français formaient la masse, habituellement pauvre et sans pouvoir, vivant dans des quartiers populaires ouverts à tous comme Saint-Henri. Dans le roman, on voit et on entend à peine les Québécois anglophones. Tout au plus voit-on les pauvres Québécois, en route vers la montagne, vers des quartiers auxquels ils n'ont pas le sentiment d'appartenir ou auxquels ils n'appartiendront jamais, qui regardent avec envie et admiration leurs imposantes résidences. Et on entend à peine la langue anglaise, rien que par-ci, par-là, en petites phrases. Autrement, les Québécois vivent dans un isolement linguistique et social total. Leur isolement dépasse d'ailleurs l'aspect linguistique. Même si ce n'est pas dit en autant de mots dans le roman, la famille Lacasse est ce qu'elle est et où elle est à cause de sa religion. Les Lacasse sont catholiques et les catholiques d'alors, surtout les pauvres, avaient d'énormes familles. On appelait cela *la revanche des berceaux*. Les Anglais sont peut-être plus riches, plus puissants, mais nous allons les battre dans la bataille des nombres – c'était ça, l'idée. Et donc les familles de onze, ou quinze, ou dix-neuf enfants. Ces nombres ont permis aux Québécois de gagner et de repousser les forces de l'assimilation, mais cela aboutissait à l'appauvrissement pour des familles nombreuses qui luttaient pour nourrir et vêtir tant de monde.

Le roman tourne autour de divers membres de la grosse famille Lacasse, surtout Florentine, la fille aînée, Rose-Anna, l'affectueuse mère qui fait toujours de son mieux, et Azarius, le père bien intentionné mais plutôt sans ressources. Il n'y a que Florentine qui rapporte un revenu stable de son travail comme serveuse. Mais c'est bien peu et la famille doit continuellement déménager d'un logement minable à un autre encore pire mais moins cher. Les Lacasse mènent une vie sordide et misérable. Ils portent des guenilles et ils sont mal nourris. Ils sont les esclaves malheureux d'un système économique qui n'a pas besoin d'eux. Tout ce qui les garde en vie, ce sont leurs rêves. Florentine se réfugie dans l'amour, Azarius a de grands rêves d'un avenir meilleur qu'il ne peut pas réaliser, tandis que la petite Yvonne se terre dans la religion. Tous autant qu'ils sont, ils sont absolument impuissants et réduits par leur pauvreté abjecte. Leurs souffrances n'en font pas des anges ; elles ne font que confirmer leur humanité. Leur sort est si épouvantable que leur allié ultime finit par être la guerre. La possibilité de se joindre à l'armée et de gagner la maigre solde d'un conscrit constitue leur seul moyen de survie, même si cela veut dire qu'ils pourraient être tués ou avoir à tuer.

Il y a un personnage du roman qui est absent : le prêtre. Les parures de la religion, sous la forme de reproductions kitsch de figures sacrées, décorent les murs du salon des Lacasse et les jurons et sacres de la famille sont de nature religieuse, mais un véritable serviteur du Seigneur n'apparaît jamais dans le livre. Cela me laisse perplexe. Le reproche que le roman fait pour une large part de la misère, sûrement de la misère spirituelle, peut être attribué à l'Église catholique. Son message d'acceptation de la souffrance en retour de récompenses futures dans l'au-delà avait pour résultat d'assurer une profonde passivité chez ses fidèles. De plus, le code moral rigide de l'Église signifiait qu'une femme non mariée qui devenait enceinte allait forcément perdre sa réputation et son enfant serait probablement traité comme un orphelin, rejeté par la société, même s'il ou elle avait un père et une mère. L'Église, alors, tout comme maintenant de bien des façons, était anti-féministe et anti-moderne, obscurantiste et rétrograde. Elle nourrissait ses fidèles de placebos spirituels éculés, tandis qu'ils pourrissaient dans la misère matérielle et la sclérose intellectuelle. Je me demande pourquoi Gabrielle Roy s'est retenue de critiquer cette institution.

L'objection est mineure. *Bonheur d'occasion* est une œuvre de fiction, mais profondément ancrée dans la réalité. C'est un exemple magistral du roman en tant que mémoire, en tant que document. Comme Québécois moi-même, je l'ai lu avec un mélange de honte, face à des conditions aussi sordides subies par le peuple qui est le mien, il y a quelques générations à peine, et par conséquent de colère aussi face aux responsables de ces conditions. En lisant ce roman, on comprend tout de suite quelles sont les forces derrière le grand bond en avant vers la modernité qu'a été la Révolution tranquille, qui a transformé le Québec du statut de province la plus arriérée du Canada en celle qui est la plus progressiste.

Je dois vite clore cette lettre. Ma compagne, Alice, vient de perdre ses eaux et notre premier enfant, un garçon, Théo, s'en vient. Un enfant est le meilleur roman qui soit, une formidable intrigue et d'énormes possibilités de développement du personnage. Je dois m'en occuper.

Cordialement vôtre,
Yann Martel

P.-S. 1 Et deux réponses de plus. Tony Clement, le ministre de l'Industrie, m'a envoyé une réponse complète au sujet de mon interrogation sur le financement du CRSH [voir la section réponse du livre 51 : Jules César] tandis que P. Monteith, de votre bureau, m'a remercié, quoique bien plus brièvement, pour le livre suivant que je vous ai fait parvenir [voir la section réponse du livre 52 : Burning Ice].
P.-S. 2 Vous voudrez bien excuser l'état un peu abîmé de la version française de Bonheur d'occasion. *Je l'ai lue récemment en pleine jungle amazonienne du Pérou et l'humidité s'en est prise à elle.*

Gabrielle Roy (1909-1983), romancière née à Saint-Boniface, au Manitoba, elle fut d'abord institutrice dans sa province d'origine, puis partit pour l'Europe étudier l'art dramatique avant de venir vivre au Québec. *Bonheur d'occasion* lui mérita, entre autres, le Prix du Gouverneur général (elle en obtint deux autres) et le prix Femina; on tient ce livre, publié en 1945, pour le premier roman urbain de la littérature québécoise et son impact y est pour beaucoup dans la prise de conscience qui aboutit quinze ans plus tard à la Révolution tranquille. D'elle, on trouve, sur le billet de vingt dollars canadien, en tout petit, ces mots: «Nous connaîtrions-nous seulement un peu nous-mêmes, sans les arts?»

Index des auteurs et des titres

DANGER

LE
PHOTOCOPILLAGE
TUE LE LIVRE

GARANT DES FORÊTS
INTACTES

Cet ouvrage
composé en Minion corps 11 sur 13,5
a été achevé d'imprimer
en septembre deux mille neuf
sur les presses de

ranscontinental
IMPRESSION
IMPRIMERIE GAGNÉ

IMPRIMÉ AU CANADA